EILANDEN

ZENERIA

Eilanden 3 - Zeneria
Luc Descamps
Timo Descamps

Vanaf 14 jaar

©2014, Luc Descamps, Timo Descamps en Abimo uitgeverij,
een uitgeefunit van Pelckmans Uitgeverij nv.,
Bezoekadres Abimo: Europark Zuid 9 – 9100 Sint-Niklaas
Maatschappelijke zetel: Pelckmans Uitgeverij nv,
Brasschaatsteenweg 308 – 2920 Kalmthout

Omslag: Abimo uitgeverij
Redactie: Anneriek van Heugten

Eerste druk: september 2014

D/2014/6699/67
ISBN 978-94-6234-265-1
NUR 284

www.lucdescamps.be
www.timodescamps.be
www.abimo.net

 Abimo Jeugd

EILANDEN

ZENERIA

TIMO DESCAMPS
LUC DESCAMPS

Abimo

Zeneria

Hakstad

Farral

GEBOORTEHUIS
×

TEM

zeneria Stad

Berg

MIJNEN

Kraukar

G

Auras

Kristallijn

Argar

Legende

	stad
	dorp
---	weg
===	tunnel

☼ zilver
⟡ kristal
▱ goud
Ⓐ ijzer
⋀ hout

WELKOM IN HET HART VAN ZENERIA
DE WAANZIN VAN VERNIELING
WERD HIER TOT STAAN GEBRACHT
HIER VINDT DE MENS ZICHZELF TERUG
OVERSCHRIJD DEZE STEEN
ALLEEN ALS U ZUIVER VAN HART BENT

PROLOOG

Zeneria, 20 jaar geleden

Het geluid van Kirsha's voetstappen klonk hol in de nachtelijke straten en haar adem gierde door haar keel. De jonge dienares van de koningin wierp een vluchtige blik over haar schouder en zag haar twee achtervolgers dichterbij komen. Ze moest hen wegleiden, zo ver mogelijk weg van haar koningin. Ze sloeg links een steegje in en struikelde over een houten emmer. Kirsha viel hard op haar knieën. Haastig krabbelde ze overeind en zette het opnieuw op een lopen.

'Blijf staan!' klonk het achter haar.

De twee mannen waren nu heel dichtbij. Het was slechts een kwestie van seconden, van meters, voor ze haar te pakken zouden krijgen. Kirsha negeerde de stekende pijn in haar borst en in haar zij, en rende verder. Ze moest volhouden. Ze sloeg rechtsaf en stopte abrupt toen ze oog in oog stond met vier gewapende mannen. Het was voorbij, wist ze. Angst snoerde haar keel dicht; ze zat als een rat in de val. De mannen voor haar bleven staan. Haar twee achtervolgers draaiden de hoek om. Ook zij stopten. Kirsha probeerde hijgend op adem te komen. Haar hart bonsde als gek en ze moest moeite doen om niet over te geven.

'Op de loop, meisje?' vroeg een van de mannen voor haar.

Hij nam haar aandachtig op en keek toen naar de mannen die achter haar aan hadden gezeten. Hij wendde zich tot zijn gezellen.

'Zien jullie die kleren? Skyrth.'

De verachting in zijn stem was duidelijk merkbaar.

Met hun zwaard in de aanslag keerde het viertal zich tegen Kirsha's achtervolgers. Kirsha drukte zich met haar rug tegen de muur en keek angstvallig naar het korte gevecht. Haar achtervolgers waren buiten adem en waren nauwelijks partij voor de vier jonge kerels. Na een korte schermutseling lagen ze allebei dood op de grond.

'Wie ben jij?' De man die het woord had gevoerd, richtte zich nu tot Kirsha.

Die had haar ademhaling nog altijd niet onder controle. 'Mijn naam is Kirsha,' hijgde ze. 'De koningin… Jullie moeten de koningin helpen.'

'Waar is ze?'

'Verderop. Bij het water. We werden achtervolgd.'

De mannen aarzelden niet en vertrokken in de richting die Kirsha aanwees.

'Blijf hier! We komen terug!'

Snikkend liet Kirsha zich tegen de muur zakken.

'Er is hulp onderweg, mijn koningin,' fluisterde ze. 'Laat ze alsjeblieft op tijd komen.'

Ze staarde naar de twee lijken. Ook de koning was dood. De Skyrth had het paleis ingenomen. De wereld zoals zij hem kende, stortte in elkaar. In enkele tellen tijd was de rustige nacht herschapen in één grote nachtmerrie. Overal in het paleis had geschreeuw en wapengekletter geklonken en het was een wonder dat ze samen met Brinthe en de koningin aan het moordende geweld was ontkomen. Zonder de hulp van Bryanth was het hun nooit gelukt. Ze had Bryanth nooit eerder ontmoet, maar hij had hen met gevaar voor eigen leven uit het paleis geloodst. Maar hun vlucht bleef niet onopgemerkt en zes gewapende mannen hadden de achtervolging ingezet. Twee van hen had Kirsha bij de koningin kunnen weglokken. Die lagen nu dood aan haar voeten. Maar Bryanth had het alleen tegen de vier andere achtervolgers moeten opnemen. Kirsha vreesde het ergste.

De mannen die haar gered hadden, kende ze niet. Ze wist niet waarom ze haar hadden geholpen. Zouden ze op tijd komen om de koningin te redden? Kirsha kwam overeind en drukte zich tegen de muur terwijl ze langs de lijken liep. Toen begon ze opnieuw te rennen. Ze holde over de hobbelige straatstenen, langs de emmer waarover ze eerder was gestruikeld en toen de kade op. Met elke stap die ze zette, groeide haar wanhoop. De pijn in haar zij negerend probeerde ze nog sneller te rennen. Toen ze uiteindelijk bij de plaats kwam waar ze haar koningin had achtergelaten, verliet alle kracht haar lichaam. Haar vier redders stonden besluiteloos om zich heen te kijken, zes lichamen lagen aan hun voeten. Kirsha vocht tegen de neiging zich op de grond te laten zakken. Voetje voor voetje kwam ze dichterbij, bang voor wat ze te zien zou krijgen.

'Ken je ze?' vroeg een van de mannen.

'Bryanth,' fluisterde Kirsha. Ze keek naar het lichaam van de man die zijn leven had gegeven om koningin Leila te redden uit de klauwen van de Skyrth. Op de een of andere manier was hij erin geslaagd zijn achtervolgers te doden. Hun bebloede lijken lagen om hem heen. Een droge snik ontsnapte aan haar lippen toen ze wat verderop het dode lichaam opmerkte van Brinthe, de andere dienares van de koningin. 'Brinthe!' Kirsha liep naar haar toe en liet zich op haar knieën vallen. Ze pakte Brinthes levenloze hoofd in haar handen en liet haar tranen de vrije loop.

'Meisje,' vroeg een van de mannen, 'de koningin?'

Kirsha richtte haar hoofd op. Verward keek ze om zich heen.

'Ze ligt hier niet,' zei de man. 'Heb je gezien dat ze werd meegenomen?'

Kirsha keek naar het water en schudde haar hoofd.

'Er lag een boot,' zei ze zacht. 'Hij is weg. We wilden... ze is aan boord gegaan.'

'We moeten haar vinden. Haal Borsung. Hij moet uitvaren om haar te zoeken.'

Een van de mannen repte zich weg.

'Waar woon je?'

'In... in het paleis.'

'Dan kom je beter met ons mee. Het is er niet veilig.' De man stak zijn hand uit. 'Ik ben Harald. We zorgen er wel voor dat ze begraven worden. Je kunt ons vertrouwen. Kom.'

Kirsha liet zich overeind trekken en ondersteund door

Harald liep ze met hen mee, weg van de plek waar haar koningin was verdwenen. Ze voelde zich helemaal verdoofd. Als dienares vond ze zichzelf verantwoordelijk voor de veiligheid van haar koningin en nu wist niemand waar die was. Als koningin Leila dood was, zou het kind dat ze droeg nooit geboren worden. Dan zou de bloedlijn van de koningen verdwijnen. Die gedachte legde zich als een zware last over Kirsha's schouders.

II

De mannen zaten verslagen rond de tafel. Drie dagen lang had Borsung rondgevaren, tot ver buiten de monding van de rivier, maar hij had geen bootje gezien. De koningin was weg.

'Ze moet ergens zijn,' hield Kirsha vol. 'Ik weiger te geloven dat ze dood is. Ze is zwanger!'

Harald legde zijn hand op de hare. 'We moeten het accepteren, Kirsha. Borsung heeft gedaan wat hij kon. We moeten de koningin opgeven.'

'En haar kind?' Kirsha's onderlip trilde. 'Wil je de troonopvolger opgeven?'

'Het spijt me. We moeten ervan uitgaan dat de troonopvolger het daglicht nooit zal zien. Misschien is het maar beter zo. De Skyrth zou hem opjagen tot het eind van zijn dagen.'

'Maar Zeneria?' hield Kirsha vol. 'Zonder bloedlijn kan Zeneria toch niet verder?'

'Ik vrees dat Zeneria samen met de koning en de koningin is gestorven,' zei Borsung.

Kirsha keek hem woest aan. Ze was niet bereid het onvermijdelijke te aanvaarden. Al jarenlang was ze de eerste dienares van koningin Leila. Ze hield van haar en was mee opgetogen geweest over het kind dat de koningin verwachtte, alsof het om haar eigen familie ging. Ze kon niet geloven dat dit alles in één nacht was weggevaagd. Ze moesten trouw blijven aan de bloedlijn van de koningen; dat waren ze verplicht aan Zeneria.

Haar blik schoot van Borsung naar Harald en naar de drie andere jongemannen die haar die nacht hadden geholpen. Ze zocht wanhopig naar steun, maar niemand leek tegen Borsung in te willen gaan.

Happend naar adem probeerde Kirsha zichzelf onder controle te krijgen. Haar hart ging als een razende tekeer in haar borst. Haar maag trok helemaal samen.

Ze logeerde al vier dagen bij Harald en was in al die tijd niet buiten geweest. Harald vond het niet veilig. Iedereen die nauw verbonden was met het koningshuis werd opgespoord en in de kerkers van het paleis opgesloten. De leider van de Skyrth had het paleis tot zijn hoofdkwartier gemaakt. Geruchten deden de ronde dat hij zich wilde laten kronen.

'Jullie kunnen het hier niet bij laten,' zei Kirsha boos. Tranen vulden haar ogen. 'Zeneria is ons vaderland. De koning heeft altijd rechtvaardig geregeerd. Hebben jullie dan geen hart voor je land?'

Harald was de eerste die reageerde.

'Ze heeft gelijk, Borsung,' zei hij. 'We moeten de koning trouw blijven.'

'Heb je gehoord wat ze met de Koningsgezinden gaan doen?' antwoordde Borsung. 'Naar het schijnt laten ze een speciale machine bouwen waarmee ze tegenstanders van de Skyrth kunnen onthoofden. De gevangenissen puilen al uit. Wil jij daar ook gaan zitten?'

Egon, die naast hem zat, knikte instemmend. Stanis en Léon reageerden niet. Ze keken naar Harald, benieuwd naar zijn reactie. Ook Kirsha keek naar Harald, smekend bijna.

'We moeten voorzichtig te werk gaan,' zei Harald. 'Op dit moment is de Skyrth ons de baas. Maar we zullen terug-vechten. Er zijn er genoeg die de sekte haten. De Skyrth is nog niet klaar met ons.'

'Hoe gaan we de mensen overtuigen onze kant te kiezen?' vroeg Léon. 'De Skyrth is in staat iedereen te doden die er-voor uitkomt dat hij koningsgezind is.'

'De mensen hebben iets nodig om voor te vechten,' zei Borsung.

De mannen zaten besluiteloos bij elkaar. Kirsha staarde met betraande ogen naar het tafelblad. Harald verbrak de stilte.

'We volgen Kirsha's droom,' zei hij.

Vijf paar ogen keek hem vragend aan.

'We verspreiden het gerucht dat koningin Leila veilig is weg-gekomen. We voeden de hoop dat het koningskind op een dag zal terugkomen.'

Kirsha schonk Harald een dankbare blik. Ze wilde zo graag geloven dat haar koningin in veiligheid was. Diep vanbin-nen geloofde ze echt dat het koningskind zou terugkomen. En ze zou er klaar voor zijn, hoe lang ze ook op die dag zou moeten wachten. Intussen wilde ze er alles aan doen om de hoop levend te houden.

WAAR IS DE KROON?
MEEGEVOERD OP DE GOLVEN.

1.

'Open de poort!' riep de wachter vanaf de houten omwalling van het fort dat het garnizoen van de havenstad Kraukar scheidde. 'Snel, waar wacht je op?'

De soldaat beneden schudde de slaap van zich af en sjokte naar de poort toe. Waar was al die drukte voor nodig? Alsof er 's nachts ooit iets gebeurde dat de moeite was om voor op te staan. Hij schoof de zware grendel van de poort en trok aan het grote handvat. Zijn collega daarboven had makkelijk praten; hij hoefde dat zware ding niet in zijn eentje te hanteren. De poort zwaaide langzaam open, op zachtjes krakende scharnieren. De mond van de soldaat viel eveneens open toen een paard met op zijn rug een zwijmelende, zwaargewonde ruiter stapvoets onder de poort door kwam.

'Verdorie,' vloekte de soldaat binnensmonds. En toen luid naar boven: 'Argor, help eens! Hij gaat vallen!'

Argor aarzelde. Hij bleef in de donkere nacht turen tot hij er zeker van was dat er geen gevaar dreigde en kwam toen mompelend de ladder af. 'Waar komt die in hemelsnaam vandaan? De hele stad slaapt, verdorie.'

Hij stapte mis bij de laatste trede en landde vloekend en struikelend op de begane grond. 'Wie is het, Korg?'

'Hoe zou ik dat moeten weten? Steek liever een handje toe

om hem van zijn paard te helpen. Zo dadelijk stuikt hij naar beneden.'

'Moeten we niet eerst de poort sluiten?'

Korg richtte zijn blik op het zwarte gat voorbij de poort en haalde zijn schouders op. 'Help me eerst, schijtlaars. Die poort loopt niet weg.' Hij richtte zijn aandacht op het paard om het rustig te krijgen.

Argor trok aan het vest van de ruiter, die nu helemaal voorovergebogen over de nek van het rijdier hing. Hij vloekte toen hij de kleverige stof voelde; de ruiter zat helemaal onder het bloed. Korg en Argor hielpen hem van het paard en legden hem voorzichtig op de grond.

'Dat ziet er niet goed uit,' zei Korg. 'We moeten de commandant waarschuwen.'

'Weet je dat zeker? Hij houdt er niet van uit zijn slaap gewekt te worden. Misschien is die kerel gewoon een slachtoffer van een dronkemansgevecht.'

'Kijk naar zijn kleren, Argor. Hij is een bewaker van de mijn. Dit klopt niet. Als we dit niet meteen rapporteren en er blijkt iets ernstigs aan de hand, dan kunnen we het wel schudden.'

'Ik maak de commandant niet wakker, vergeet het maar. Laten we eerst proberen hem hier aan het praten te krijgen. Misschien is hij gewoon op de vuist gegaan met een paar collega's.'

'Volgens mij is hij niet in staat om iets te zeggen.'

'Ga jij de commandant dan maar wekken, als je dat per se wilt.'

Korg keek nadenkend naar de bewusteloze man. De commandant stond bekend om zijn vreselijke ochtendhumeur, er was dus weinig kans dat hij opgetogen zou zijn als hij in het holst van de nacht gewekt werd.

'Ik haal de kapitein erbij,' zei hij.

'Best,' antwoordde Argor, 'laat die het maar oplossen. Maar maak er haast mee, die kerel bloedt als een rund.'

De donkere omtrekken van het slapende Kraukar kwamen in zicht. De brandende toortsen wierpen spookachtige schaduwen op de grimmige gezichten van de vastberaden mannen. Vannacht zou de prijs betaald worden voor het onrecht dat hun tijdens hun slavernij was aangedaan. Verderop landinwaarts stak een hoge omheining zwart af tegen de nachtelijke hemel.

'Is dat het fort?' vroeg Jari.

Jareng, de krabbenvanger die op het eiland van Thom en Jari had gewoond, keek naar het donkere silhouet en knikte. Op zijn aanraden volgden ze de kustweg omdat de hoofdweg van de mijnen naar de stad langs het fort liep. Ze wilden de stad bereiken zonder een open confrontatie met het garnizoen te moeten aangaan. 'Daar liggen de soldaten.'

'Volgens mij moeten we onze pijlen eerst daarop richten,' zei Kendra. 'Het gevaar zal van die kant komen.'

Thom keek ongerust naar de tientallen fakkels die ze met zich meedroegen. Op een terrein dat geen van hen kende, hadden ze geen andere keuze dan hun pad te verlichten, maar dat betekende wel dat ze van ver te zien waren.

'We moeten ons opsplitsen,' zei Kendra. 'Het grootste deel gaat recht naar de stad met de fakkels. Zij zullen de aandacht trekken. De soldaten van het fort zullen uitrukken. Met een kleinere groep kunnen we hen dan vanuit het donker aanvallen. Het is onze beste kans.' Ze keek Thom vastberaden aan. 'De stad moet branden. Als Lovennia het vuur vanaf het kunsteiland zal opmerken, weet ze dat we in onze opzet geslaagd zijn en kunnen de anderen aan land komen.'

Thom knikte. Haar strategie klonk logisch en wie was hij om te discussiëren met een vrouw die van strijden haar leven had gemaakt? Zonder de Cahayaanse strijdsters waren ze er nooit in geslaagd de slaven te bevrijden.

De bevelen werden doorgegeven. Onder leiding van Thom en Kendra scheidden tweehonderd mannen zich van de hoofdgroep af en weldra werden ze opgeslokt door de duisternis. Jari en Jareng liepen verder met de hoofdgroep, zich ervan bewust dat ze een uitnodigend doelwit vormden.

'Kapitein, we zitten met een probleem bij de poort.'

Korg schudde zijn overste voorzichtig bij de schouder. De kapitein van de wacht keek slaperig op. Hij beschouwde het als zijn privilege om tijdens zijn diensttijd te slapen. Kraukar was een rustige stad en afgezien van een sporadische vechtpartij waarbij de soldaten moesten optreden, gebeurde er nooit iets. Hij zag geen enkele reden om 's nachts wakker te blijven.

'Hopelijk heb je een goede reden om me te storen,' gromde hij.

'Ik denk het wel, kapitein. Er is een zwaargewonde man aangekomen. We vermoeden dat hij van de mijn komt.'

'Van de mijn?' herhaalde de kapitein.

'Hij draagt het uniform van de wachters.'

De kapitein was meteen klaarwakker. Hij kwam overeind en liep zonder iets te zeggen het wachtlokaal uit, naar de poort.

'Hij heeft een dokter nodig,' zei de kapitein bars toen hij de bloedende man zag. 'Heb je de chirurgijn al geroepen?'

Argor schudde zijn hoofd.

'Ik… eh… ik durfde hem niet alleen te laten, kapitein.'

'Wel, hij is nu niet meer alleen, toch? Ga als de bliksem de chirurgijn halen!'

Argor sprong overeind en haastte zich om het bevel uit te voeren.

'Wat een puinhoop,' sakkerde de kapitein bij het zien van al het bloed. Hij had niet de neiging zijn handen vuil te maken. 'En waarom staat de poort open?'

Korg aarzelde.

'Behoort dat tot de nieuwe voorschriften? De poort openlaten in het holst van de nacht?'

'Hij… Argor… Wij wilden deze man binnenlaten, kapitein,' stamelde Korg.

'En hij is binnen, toch? Is er dan nog een reden om die poort open te laten?'

Korg werd bleek en antwoordde niet.

'Of beslissen mijn wachters op eigen houtje om het veiligheids-beleid te wijzigen?' De stem van de kapitein klonk dreigend.

Korg stamelde een verontschuldiging en haastte zich om de poort te sluiten. Intussen kwam Argor terug met de chirurgijn. De arts knielde naast de zwaargewonde wachter en vroeg Argor hem bij te lichten met een toorts.

'Ik weet niet of ik nog iets voor hem kan doen,' mompelde de chirurgijn.

De kapitein, duidelijk uit zijn humeur door deze onderbreking van zijn nachtrust, richtte zich tot Argor.

'Moet jij boven de wacht niet houden?'

'Jawel, kapitein, maar…'

Met een verontschuldigend gebaar hief hij de toorts wat hoger. De blik van zijn overste maakte hem echter duidelijk dat hij beter zonder dralen weer op zijn post kon gaan staan. Onhandig stak hij de kapitein de toorts toe. Die knarsetandde van ingehouden woede, maar pakte het ding toch aan. Hij wilde de chirurgijn geen kans geven hem ervoor verantwoordelijk te stellen dat hij een gewonde niet had kunnen helpen.

Argor haastte zich de ladder op. Hij was blij dat hij bij de kapitein weg kon en weer op zijn vertrouwde plek op de omwalling kon postvatten. Wat een rothumeur had die man. Hij richtte zijn blik op de duisternis voor zich en liet een lange zucht aan zijn lippen ontsnappen. Zijn adem stokte echter toen hij het lange lint van lichtjes zag dat zich in de richting van de stad bewoog. Hij keek nog eens goed om er zeker van te zijn dat hij zich niet vergiste en riep toen aarzelend naar beneden.

'Kapitein!'

Verstoord hief de kapitein zijn hoofd.

'Wat nu weer? Zie je niet dat ik bezig ben?'

'Dit wilt u zien, kapitein.'

'Verdorie toch! Korg! Rep je luie kont hierheen en pak die fakkel over. Wat denkt u, dokter? Zal hij ons nog kunnen vertellen wat er hem is overkomen?'

De chirurgijn schudde zijn hoofd en trok zijn bebloede handen van het lichaam af. Met een vloek duwde de kapitein Korg, die net terugkwam, de toorts in de hand en haastte zich naar de ladder.

'Wat moet ik nu zo nodig zien? Dit is me het avondje wel. Het kan maar beter… Wat is dat?'

Ongelovig staarde hij naar het lange lint van licht en een nieuwe vloek ontsnapte aan zijn lippen.

'Korg!' riep hij naar beneden. 'Een patrouille te paard. Twintig man! En jij,' zei hij, naar Argor wijzend, 'jij maakt de commandant wakker en vraagt hem hierheen te komen.'

'De comm…?'

'Welk stuk van dit bevel heb je niet begrepen, soldaat?' beet de kapitein hem toe.

Argor slikte en daalde de ladder af.

'Daar zijn ze,' siste Kendra tegen Thom. 'Blijf hier.'

'Wat ga je doen?'

'Ik leid hen af. Jullie maken van de gelegenheid gebruik om hen aan te vallen. Laat geen van hen ontsnappen. Dood iedereen.'

Zonder Thom de kans te geven nog iets te vragen liep ze met snelle passen weg. Thom slikte even voor hij het bevel doorgaf.

Het paard van de eerste ruiter steigerde toen Kendra met haar armen zwaaiend voor het dier opdook. De aanvoerder van de patrouille kon zich ternauwernood in het zadel houden.

'Stop!' riep Kendra luid.

De aanvoerder herstelde zich en keek verbaasd naar de vreemde vrouw. Zijn eerste idee was dat ze er lang niet slecht uitzag.

'Wie ben jij? Wat doe je hier?'

Dat waren de laatste twee vragen die hij ooit zou stellen. Uit het niets doken overal gewapende mannen en vrouwen op. Vier armen trokken de aanvoerder bij zijn linkerbeen uit het zadel en het mes in zijn borst doodde hem nog voor hij de grond raakte. De verrassing was compleet. Geen enkel lid van de patrouille kreeg zelfs maar de kans om zijn zwaard te trekken. In enkele tellen was de overval voorbij. Thom ging hijgend naast Kendra staan.

'Er zullen er meer komen,' zei hij.

'We zullen klaar zijn.'

Het blinde geweld zat Thom niet lekker. Maar dit was het volk van Reikon en zijn mannen. Omgekeerd zouden die met hen ook geen medelijden hebben. Wrang vroeg Thom zich af of dit de enige manier was om zijn eigen volk te bevrijden.

Steeds onrustiger tuurde de kapitein naar het lichtjeslint, dat nu bijna bij de stad was. De patrouille had allang terug moeten zijn.

'Waarom heb je me laten roepen, kapitein?' vroeg de commandant geïrriteerd. De ladder kraakte onder zijn gewicht terwijl hij naar boven klom. De kapitein deed geen moeite om de vraag te beantwoorden en wees alleen maar.

'Wat is dat?'

'Ik weet het niet, commandant. Ik heb er een patrouille op afgestuurd.'

'En?'

'Nog geen bericht.'

'Het zijn toortsen. En het zijn er veel,' zei de bevelhebber van het garnizoen.

'Er is nog iets, commandant. Er is een zwaargewonde man aangekomen, te paard. Een wachter van de mijn.'

'Waar is hij? Ik wil hem meteen spreken.'

'Hij is dood, commandant.'

De commandant vloekte binnensmonds terwijl zijn hersenen op volle toeren werkten. De Koningsgezinden waren een bende lastpakken, maar ook niet meer dan dat. Zij zouden nooit een openlijke mars op Kraukar of op welke stad dan ook houden. Daarvoor was hun organisatie veel te klein en te zwak. Hij keek uit welke richting het lint de stad naderde en trok een denkbeeldige lijn van de stad weg. Ineens werden zijn ogen groot van ontzetting.

'Een opstand! De slaven moeten zich bevrijd hebben. We moeten uitrukken. Mobiliseer het garnizoen!'

'Iedereen, commandant?'

'Iedereen! Alleen mijn lijfwacht blijft hier.'

'Sla alarm!' riep de kapitein, terwijl hij zo snel mogelijk de ladder afdaalde.

Beneden pakte Korg de hoorn die naast de poort hing en blies er krachtig op. Het diepe geluid sneed door de nachtelijke stilte en enkele tellen later stond het hele fort in rep en roer. Nog half slapend zochten soldaten naar hun uitrusting. Overal werd geschreeuwd dat het geen oefening was. De stad werd aangevallen!

Aan het hoofd van honderden bevrijde slaven trok Jari Kraukar binnen. De stad was niet versterkt en had geen poorten. Zeneria had geen externe vijanden en dus ook geen reden om verdedigingswallen rond steden en nederzettingen te bouwen. Het gelegenheidsleger overspoelde de stad. Soldaten met verlof, die opgeschrikt door het tumult de straat op kwamen, werden genadeloos afgeslacht. De slaven beukten de deuren van dure villa's in en sloegen iedereen neer die hun ook maar een handbreed in de weg legde. Rijke slaveneigenaars werden aan het zwaard geregen of hun hoofd werd ingeslagen met zware houwelen. Meer dan één villa ging in vlammen op en terwijl het vuur de luxueuze gebouwen verteerde, juichten de slaven.

Kendra keek tevreden naar de gouden gloed in de verte.

'Ze hebben het doel bereikt. De stad brandt.'

De gloed zou te zien zijn vanop het kunsteiland. Dat was het teken waarop Lovennia en de overige Cahayanen wachtten om koers te zetten naar Kraukar. Nu kwam het erop aan het oprukkende garnizoen tegen te houden. Het begon licht te schemeren en een grote, donkere massa kwam hun richting uit.

'Ze zijn met te veel,' merkte Thom hijgend op.

Kendra knikte. Hij had gelijk. Met tweehonderd strijdsters zouden ze een kans gemaakt hebben, maar hun groep was, hoe hard ze ook bereid waren te vechten, geen partij voor geoefende soldaten die sterk in de meerderheid waren.

'We moeten terugtrekken,' besloot ze snel. 'We lokken ze naar de stad. Daar kunnen we ons verspreiden en tijd winnen. Lovennia zal al onderweg zijn met de rest van onze strijdmacht. We moeten de vijand gewoon bezighouden tot ze er zijn.'

Bewonderend keek Thom haar aan en hij besefte dat Kendra en haar strijdsters een geschenk uit de hemel waren. Als Jari en hij na die storm niet op Cahaya waren aangespoeld, had hun missie geen enkele kans van slagen gehad. Hij knikte naar haar en gaf schreeuwend het bevel.

'We gaan naar de stad!'

2.

De oranje gloed was goed zichtbaar vanaf het kunst-eiland. De twee schepen staken van wal en zetten koers naar Zeneria. Lovennia tuurde voor zich uit op de voorplecht van het eerste schip. Ze voelde dat ze deel uit-maakte van een geschiedenis die op dat eigenste moment geschreven werd. De God van het Licht had haar een taak gegeven en ze was vastberaden die tot een goed einde te brengen. Ze was trots dat het volk van Cahaya uitverkoren was om de gezant van de God van het Licht bij te staan.

Ontsteld keek Thom naar de bebloede lichamen die her en der in de straten lagen. De hitte van de vlammen sloeg in zijn gezicht. Dit was niet wat hij wilde. Hij nam Kendra bij de arm.

'Ik wil dat het stopt,' zei hij.

Kendra keek hem vragend aan.

'Het moorden, het brandstichten. Laat ze ophouden. Stuur je mensen uit en laat het bevel rondgaan.'

Vertwijfeld keek hij om zich heen, op zoek naar Jari. Hoe had zijn vriend dit kunnen toelaten? Hij haalde diep adem om tegen de opkomende golf van misselijkheid te vechten. De prikkelende rook bezorgde hem een hevige hoestbui.

'We moeten de verdediging organiseren,' kuchte hij.

'Ik laat groepen van tien vormen,' zei Kendra. 'Die kunnen prikken uitdelen en snel terug in de steegjes verdwijnen. Als ze achtervolgd worden, nemen andere groepen het over.'

'Krijg je dat georganiseerd?' vroeg Thom. 'Het is hier een chaos!'

'Ik laat drie van mijn strijdsters telkens een groep vormen. Dan hebben we al twintig van die groepjes. Dat zal de vijand lang genoeg bezighouden tot Lovennia er is.'

Thom knikte en liep weg, op zoek naar Jari. Hij was blij dat hij Kendra bij zich had, met haar ervaring als sectieleidster. Zelf had hij van oorlog voeren geen kaas gegeten.

Twee straten verder zag hij een soldaat, ingesloten door zes slaven. De man keek wanhopig om zich heen, zoekend naar een uitweg die er niet was. Een van de slaven hief een grote knuppel.

'Stop!' riep Thom.

Hij rende naar de man met de knuppel toe en hield zijn arm tegen.

'Waar denken jullie dat je mee bezig bent?'

De man rukte zich los en keerde zich tegen Thom.

'Hou op!' riep een andere. 'Dat is de man die ons bevrijd heeft.'

'Zijn jullie beesten?' hijgde Thom.

'Wat hebben zij al die tijd met ons gedaan? Hebben zij ook maar enig mededogen getoond, denk je?' De man met de knuppel was ziedend.

'Moeten wij ons daarom tot hetzelfde verlagen? Hou daarmee op. Zoek een touw en knevel die man. Vanuit het noorden komt er een hele groep soldaten aan. Concentreer je daarop!'

Twee mannen grepen de soldaat vast en dwongen hem op zijn knieën. Opgelucht dat hij een blinde moord had verhinderd, zette Thom zijn zoektocht naar Jari verder. Zijn opluchting verdween al snel, want overal liepen dolgedraaide slaven die maar op één ding uit waren. Ze wilden wraak! Het was hopeloos die losgeslagen bende in het gareel te krijgen. Onmacht maakte zich van Thom meester. Hij wilde Enea vinden, de mensen van zijn eiland bevrijden, maar hij wilde geen spoor van dood en vernieling achterlaten. Dit groeide hem boven het hoofd.

Het garnizoen bereikte de stad en de kapiteins schreeuwden hun bevelen.
'Pelotons, verspreiden! Dood iedereen die je tegenkomt!'
De strijdmacht splitste zich op in groepen van tien die snel de straatjes in liepen. Zodra ze verspreid waren, begon het dodelijke kat-en-muisspel. De door de strijdsters aangevoerde groepjes vielen aan vanuit de zijstraten en trokken zich bliksemsnel weer terug. Ze gaven de vijand nauwelijks de kans om terug te slaan. Soldaten die de wegvluchtende aanvallers achtervolgden, liepen recht in de zwaarden van andere opstandelingen die hun pad kruisten. De stad werd herschapen in een krioelend nest van heen en weer rennende strijders, die slechts halt hielden voor een korte schermutseling en zich dan weer verder haastten.

De commandant keek met lede ogen naar de oplichtende stad. Het krijgsgewoel was hoorbaar tot op de wal waar hij stond. In zijn hoofd woedde een tweestrijd. Hij zou bij zijn soldaten moeten zijn, maar tegelijkertijd wist hij dat hij en zijn lijfwacht het verschil niet zouden maken. Hij kon het fort niet achterlaten.

Ineens dacht hij aan Reikon. Die zat met zijn mannen op het slaveneiland, zoals de bevolking van Zeneria het kunst-eiland noemde. Hij zou de vuurgloed ongetwijfeld opmerken en te hulp snellen. Als Reikon snel genoeg kwam, zouden ze het tij nog kunnen keren. Die slaven waren geen geoefende strijders.

De commandant riep een van zijn lijfwachten bij zich. 'Neem een paard en rijd naar de hoofdstad. Rust niet onderweg. Laat de Grootvorst weten wat hier aan de hand is. Zeg dat we versterking nodig hebben.'

'Tot uw orders, commandant.'

De lijfwacht groette en haastte zich weg. Enkele tellen later galoppeerde hij door de poort. Die was nog niet eens hele-maal dicht toen iemand boven op de wal schreeuwde: 'Er komt een ruiter van ons terug! Open de poort!'

Lovennia hoefde geen instructies te geven. Elke sectieleidster wist wat haar te doen stond en zodra de secties ontscheept waren, bewogen ze zich in looppas over de kade de stad in. De mannen en vrouwen zwermden uit over de straten en steegjes en stortten zich vol overgave in de strijd. Lovennia voelde een warme gloed door zich heen trekken; een mengeling van adrenaline en trots. Snel liep ze verder met haar zwaard in de hand. Ze voelde zich onoverwinnelijk.

De soldaat trok bruusk aan de teugels en sprong van zijn paard. De commandant kwam hem tegemoet gelopen.

'We houden het niet, commandant. Er zijn twee schepen aangekomen.'

'Reikon?'

De soldaat schudde zijn hoofd. 'Hulp voor de slaven. Er zijn veel vrouwen bij.'

'Vrouwen?' herhaalde de commandant met ongeloof in zijn ogen.

'Ze vechten als mannen, commandant. Ze zijn met te veel.'

De commandant keek om zich heen terwijl hij zijn gedachten probeerde te ordenen.

'Zadel de paarden!' beval hij. 'We rijden naar Zeneria-Stad!'

'Commandant?' vroeg de kapitein van zijn lijfwacht.

'Wat moeten we doen? Hier wachten tot ze het fort ook platbranden? Of wil je met z'n twaalven het tij keren? De reactie moet vanuit Zeneria-Stad komen. We kunnen Kraukar niet redden.'

'En onze mannen?'

'We gaan,' zei de commandant bits.

3.

Yfe stond naast haar rijtuig en aarzelde om in te stappen. Jarenlang had ze hier in de villa gewoond en ze had schitterende zaken gedaan. In dit domein was ze heer en meester; zelfs de Grootvorst zou haar hier niets in de weg durven te leggen.

'We zijn klaar om te vertrekken, vrouwe,' zei de voerman. 'Uw koffers zijn ingeladen.'

Yfe keek de man afwezig aan. Ze had twee eunuchen de opdracht gegeven haar koffers te pakken voor een lange reis. Al haar kleren en bezittingen meenemen was onmogelijk en met spijt in het hart besefte ze dat ze dingen zou achterlaten die haar na aan het hart lagen. Maar niets was haar dierbaarder dan haar eigen leven. Ze zou niet de fout maken Herakla's waarschuwing licht op te vatten. Als de oude zieneres zei dat er bloed zou vloeien in de villa, dan twijfelde Yfe er niet aan dat het ook zou gebeuren. Ze voelde geen enkele behoefte erbij te zijn als het zover was. Ze wierp een laatste blik op de villa, draaide toen resoluut haar hoofd en stapte in het rijtuig. 'Naar het geboortehuis,' beval ze.

De voerman liet zijn zweep knallen. Naast hem zaten de twee eunuchen op de bok. Voor en achter het rijtuig reden telkens drie wachters, die de veiligheid van hun meesteres tijdens de reis moesten waarborgen.

Lang had Yfe niet na hoeven te denken over haar bestemming. Ze had voor het paleis kunnen kiezen. De Grootvorst zou niet aarzelen om haar onderdak te verschaffen. Maar dat zou haar in een positie brengen waarin ze de Grootvorst iets verschuldigd was. Slecht voor de zaken. Bovendien bevond het paleis zich veel te dicht bij haar villa. Als het bloed de villa bereikte, zou het ook niet stoppen voor de poorten van het paleis. Herakla had gesproken over een huis hoog in de bergen. Daarmee kon ze alleen maar het geboortehuis bedoeld hebben.

Het was alweer een hele tijd geleden dat Yfe daar nog was geweest, dus zo gek was het niet dat ze daarheen ging. Niemand hoefde te weten dat ze op de vlucht was. Ze had de dagelijkse leiding van de villa toevertrouwd aan Elena, een jonge vrouw die gewoonlijk meeging voor de selectie op het slaveneiland. Yfe had Elena niet gewaarschuwd voor het dreigende gevaar. Ze had het gevoel dat waarschuwingen weinig verschil zouden maken. Herakla had ontzet gekeken. Zeker van haar stuk, maar ontzet. Er stonden rampzalige dingen te gebeuren. Als de oude toverkol gelijk kreeg, zou het bloed Zeneria-Stad bereiken. Maar Yfe vertrouwde op de macht van de Grootvorst. Hij zou het tij wel kunnen keren. Ondertussen zou zij veilig zijn in het geboortehuis.

Het rijtuig reed door de poort en de wachters bogen het hoofd in een groet. Yfe vroeg zich af of ze haar villa ooit zou weerzien.

4.

De dag brak aan in Kraukar. Mooie villa's waren herleid tot hopen as en puin met hier en daar een zwartgeblakerde balk die koppig overeind bleef staan. Het strijdgewoel was gaan liggen en had plaatsgemaakt voor het gekreun van gewonden. Bewoners van de stad staken bang de hoofden buiten om de schade op te nemen. Overal liepen gewapende Cahayanen en bevrijde slaven rond. De garnizoenssoldaten die niet gesneuveld waren tijdens de gevechten waren gevangengenomen en werden naar het fort gebracht, waar ze onder strenge bewaking in barakken werden opgesloten. Lovennia gaf opdracht aan haar mensen om toe te zien op de orde in de stad. Thom had dwingende instructies gegeven dat er geen onnodig geweld gebruikt mocht worden. Lovennia had hem vreemd aangekeken, maar respecteerde zijn wens.

Thom en Jari liepen door het veroverde gebied. Ze wilden zich ervan vergewissen dat de bevelen werden opgevolgd.

'Ik kan niet geloven dat dit allemaal gebeurt. Al die doden.'

'Wij zijn dit niet begonnen, Thom. Vergeet niet dat het Zeneria is die de vijandelijkheden geopend heeft. Wij wilden niets liever dan in vrede verder te leven op ons eiland.'

'Hebben wij de Moedersteen dan niet gesmeekt om een ander eiland naar ons te voeren?'

'Leg de schuld niet bij ons, Thom. Niemand kon vermoeden dat een ander eiland de dood met zich mee zou brengen.'

'Hoe zou het thuis zijn?' vroeg Thom.

De doden en gewonden hadden hem met een ruk terug-gebracht naar het moment waarop ze na de moordpartij hun dorp waren binnengelopen. Het beeld van Bor en Elfrid, genadeloos afgeslacht en zielloos, drong zich aan hem op.

'Ze redden zich wel,' antwoordde Jari. 'Ze geloven in ons. We zijn al zo ver gekomen. Had jij dit ooit durven denken toen we vertrokken met ons kleine bootje? Hoeveel kans hadden we om die storm te overleven? Hoe groot was de kans dat we een bondgenoot als Lovennia zouden vinden? Bij de Moedersteen, dit is voorbestemd, geloof me. Het heeft altijd al vastgestaan dat jij naar hier zou komen. Dit is het land waar je moeder geboren werd. Dit is je thuis.'

Een mooie thuis, dacht Thom. En ik maak hem met de grond gelijk.

'Eerlijk gezegd vraag ik me af wat ik hier doe,' zei hij.

'We zoeken Enea … en de anderen. We hebben beloofd hen terug te brengen.'

Een doordringend gegil verstoorde hun gesprek. Zonder te aarzelen rende Thom naar het huis waar het geluid vandaan kwam. Met getrokken zwaard ging hij naar binnen. Wat hij zag vervulde hem met walging. Tegen de muur stond een meisje van hooguit een jaar of zes hand in hand met haar kleine broertje. Ze keek met betraand gezicht naar haar moeder, die met opgetrokken jurk op haar rug op de tafel lag.

Een man boog zich over haar heen met zijn rug naar Thom toe. Naast hem op de grond lag een bebloed houweel. De vrouw trapte en sloeg gillend om zich heen, maar de man hield haar in bedwang terwijl hij met zijn vrije hand aan zijn broek friemelde. Ziedend van woede trok Thom de man bij zijn schouder achteruit en wierp hem tegen de muur. De man herstelde zich en wilde zich luid brullend op Thom werpen. Die ontweek zijn aanvaller handig en lichtte hem beentje. Met luid gedruis viel de man over een stoel. Nog voor hij de kans kreeg te reageren, trok Thom hem bij zijn kraag overeind en plantte zijn knie in zijn onderbuik. Kreunend zakte de man door zijn knieën.

'Hiervoor zou ik je moeten doden,' siste Thom woedend.

Met een hand op zijn schouder trachtte Jari Thom tot bedaren te brengen. De moeder had zich intussen over haar kinderen ontfermd en hield de huilende kleintjes dicht tegen zich aan gedrukt.

'We hebben jou niet bevrijd om anderen te onderwerpen,' beet Thom de man toe. 'Scheer je weg voor ik me bedenk en je toch je verdiende loon geef.'

Kreunend kwam de man overeind en hij strompelde het huis uit.

'Het spijt me,' zei Thom tegen de vrouw. 'Ik… u bent nu veilig.'

De vrouw zei niets, maar haar ogen stonden dankbaar. Het snikken van de kinderen werd minder.

'Hoe moet ik deze bende toch in toom houden?' vroeg Thom toen ze weer buiten waren.

De wanhoop in zijn stem was duidelijk te horen.

'We vinden wel een manier. We mogen niet te hard zijn voor die mensen,' zei Jari. 'Ze zijn beschadigd. We weten niet wat ze tijdens hun gevangenschap allemaal hebben meegemaakt.'

'Hoe moet het nu verder?'

Thom, Jari, Lovennia en haar sectieleidsters zaten in de barak die dienst had gedaan als vertrek van de commandant. De grote tafel bood net genoeg plaats.

'Kraukar is van ons, maar we hebben nog niet iedereen bevrijd.' Een groot deel van de bewoners van het eiland van Thom en Jari hadden ze teruggevonden. Sommigen hadden de reis en de ruwe behandeling in de mijnen niet overleefd. Een aantal vrouwen, onder wie Enea, was eerst met een schip weggevoerd. Dat was gebeurd nadat een belangrijk uitziende vrouw hen had uitgekozen. Niemand wist waar ze naartoe gebracht waren.

'We moeten de mensen uit de stad ondervragen. Iemand moet ons toch iets kunnen vertellen,' zei Lovennia. 'Bovendien moeten we meer informatie hebben over dit land. Hoe groot is het? Waar zijn de steden? Hoeveel soldaten zijn er? We moeten echt zo veel mogelijk te weten komen om een degelijk plan te kunnen opstellen.'

Thom knikte. 'Ik wil eerst onze mensen, ons leger toespreken. Ik heb vannacht dingen gezien waarvan mijn maag keert. Ik wil niet de man zijn die dit land laat platbranden.'

'Vrienden!'

Thom stond op de houten omwalling, zodat iedereen op het binnenplein hem goed kon zien. Jari en Lovennia stonden naast hem. Afgezien van enkele schildwachten die de omgeving afspeurden, stond iedereen beneden. Het plein was afgeladen vol.

'We hebben hard gevochten. Helaas hebben sommigen onder ons de strijd met hun leven betaald. Mogen hun zielen rusten in eeuwige vrede. Maar we hebben gewonnen. Deze stad telt geen enkele slaaf meer! Kraukar is van ons!'

Gejuich barstte los en Thom hief zijn handen om tot stilte te manen.

'Maar toch voel ik me slecht,' ging hij verder. 'Mijn hart doet pijn omdat ik heb gemerkt dat sommigen onder ons een mensonwaardig gedrag vertoond hebben. Ik weet dat jullie veel hebben geleden, maar niets kan een excuus zijn om een weerloze genadeloos te behandelen. Sommigen hebben gemoord, terwijl dat niet nodig was. Anderen hebben zich verlaagd tot het misbruiken van vrouwen die ons niets hebben misdaan. Ik heb persoonlijk tussenbeide moeten komen om te verhinderen dat een jonge moeder voor de ogen van haar kinderen werd aangerand. Is dat wat het leven in de mijnen met jullie heeft gedaan? Zijn de mijnen donkere holen waarin mensen langzaam in dieren veranderen? Ik ben er niet geweest. Ik heb niet meegemaakt wat jullie hebben moeten doorstaan. Maar geloof me, ook ik heb leed gezien. Ook mij is ontnomen wat me heel dierbaar was. Maar ik weiger me onmenselijk te gedragen. Onze eilanden werden verwoest, onze levens zo goed als vernietigd. Maar laat ze onze menselijkheid niet afpakken!'

Terwijl hij dat zei, liet Thom zijn gebalde vuist zien. Hij keek naar de menigte en liet zijn woorden doordringen.

'Wij zijn de mannen en de vrouwen die Zeneria zullen bevrijden van slavernij. Ik wil dat met trots kunnen zeggen, niet met schaamte!'

Steeds meer toehoorders knikten instemmend.

'Vannacht hebben we gewonnen, maar de strijd is niet gestreden, vrienden. Zolang ook maar één persoon van onze eilanden in gevangenschap leeft, zal ik niet rusten! We zullen vechten tot we één vrij volk zijn!'

Gejuich vulde het plein. Thom keek tevreden naar Jari en Lovennia. Ook deze slag had hij gewonnen.

5.

'Ik moet plassen,' zei Enea, toen de wachter het portier van de koets opende.

De man keek haar onbewogen aan. Het gezelschap had halt gehouden voor de nacht. Het schemerde al en de paarden hadden rust nodig.

'Als ze dat maar niet in mijn koets doet,' gromde de voerman. Zonder iets te zeggen maakte de wachter de ketting om Enea's polsen los. Hij pakte haar bij de schouder, trok haar ruw uit de koets en duwde haar voor zich uit naar een struik wat verderop.

'Doe het hier maar.'

Enea keek de man onzeker aan.

'Kun je even weggaan?'

De wachter lachte smalend. 'Zodat jij de benen kunt nemen? Ik dacht het niet, meisje. Ik kijk wel toe.' En toen Enea aarzelde voegde hij eraan toe: 'Of hou je het liever op?'

Beschaamd tilde Enea haar rok op en hurkte. Ze voelde zich vernederd.

'Ik vind je anders wel lekker, hoor,' zei de wachter.

Enea fatsoeneerde zich snel en wilde teruglopen, maar de man hield haar tegen.

'Niet zo snel. We hebben tijd genoeg, hoor.'

Hij legde zijn arm om haar middel en trok haar naar zich toe. Enea stribbelde tegen.

'Laat me los!'

De man was echter te sterk. Ze kon zich niet uit zijn greep bevrijden.

'Wat moet dat hier? Waar denk jij dat je mee bezig bent?' De aanvoerder van het escorte keek de wachter boos aan. 'Ben je gek geworden?'

'Geef toe dat ze een lekker dier is. Zonde om er niet even van te proeven.'

'Yfes instructies zijn duidelijk. Er mag haar geen haar gekrenkt worden.'

'Maar…'

'Tenzij je graag hebt dat je hoofd van je romp gescheiden wordt,' zei de aanvoerder dreigend. Om zijn woorden kracht bij te zetten legde hij zijn hand op het gevest van zijn zwaard. 'Breng haar terug.'

De wachter duwde Enea ruw voor zich uit en liep morrend met haar naar de koets. 'Hoer,' mompelde hij, terwijl hij haar naar binnen duwde. Zijn blik stond vol haat. Hij pakte de ketting en wilde die weer om haar polsen doen.

'Laat maar. Dat doe ik wel,' zei de aanvoerder. 'Jij kunt je blijkbaar niet beheersen.'

De wachter wierp Enea nog een laatste giftige blik toe en beende boos weg.

'Dank u,' zei ze zacht toen de aanvoerder haar polsen weer vastmaakte.

'Haal je niets in je hoofd, meisje. Denk maar niet dat ik je uit sympathie heb gered. Mijn kop rolt net zo goed als jou iets overkomt. Als het van mij afhing, mocht hij met jouw hoerige lijf doen wat hij wilde.'

Hij spuwde op de grond en liet haar alleen. Tranen welden op in haar ogen. Het gemis van Jorund stak de kop op. Wat was er met hem gebeurd? Leefde hij nog? Zo goed als de ketting het toeliet ging ze liggen op de harde bank. Slapen was de enige manier om even uit deze nachtmerrie te ontsnappen.

Het was nog niet helemaal licht toen ze weer verdergingen. De voerman wilde voor valavond op hun bestemming zijn. Het smalle bergpad was te gevaarlijk om er in het donker over te rijden. Niemand schonk nog aandacht aan Enea. Ze was opgelucht dat ze haar met rust lieten, maar tegelijkertijd voelde ze zich eenzamer dan ooit.

Het landschap veranderde sterk. Toen ze de villa en de stad achter zich hadden gelaten, waren ze een hele tijd door glooiende velden gereden. Daarna werd de grond dor en rotsachtig en werden de hellingen steiler. De weg zat vol putten en Enea werd geregeld door elkaar geschud. Naarmate het gezelschap hoger klom, werd het kouder.

Het geboortehuis bevond zich hoog op een rots, als een adelaarsnest. De weg waarover ze reden, was de enige die ernaartoe liep. Dat het om een afgelegen plek ging, was niet in het minst overdreven. Een wee gevoel nestelde zich in Enea's maag. Ze zou deze plek niet levend verlaten. Daar was Yfe duidelijk in geweest.

6.

Opgelucht dat ze eindelijk van de ketting bevrijd was, wreef Enea haar polsen. Voor de grote, donkerbruine houten deur was het rotspad breed genoeg om de koets te draaien. De vrouw in de deuropening knikte naar de aanvoerder van de wachters en wenkte Enea. Ze keek niet onvriendelijk. Naast het pad waarlangs ze waren gekomen, gaapte een diepe afgrond. Enea besefte dat ze hier nooit in haar eentje zou kunnen wegkomen; in dit onherbergzame gebied zou ze binnen de kortste keren dood zijn. Een beetje aarzelend liep ze naar de vrouw toe.

'Wees welkom.'

De vrouw was aantrekkelijk. Met haar donkere, opgestoken haar en in haar fijngeweven, wollen kleed straalde ze een zekere waardigheid uit. Haar intelligente, donkerbruine ogen monsterden Enea.

'Ik ben verheugd weer een van de meisjes van Yfe te mogen ontvangen. Hoe heet je?'

'Enea.'

'Welkom, Enea. Volg me, ik breng je naar je kamer.'

Ze sloot de gure wind buiten en ging Enea voor door een grote hal. Zachte verlichting kwam uit nissen in de muur waarin zich kleine, glimmende kristallen bevonden. Ze kwamen bij een brede trap.

'Daar vind je de gemeenschappelijke leefruimte. Die laat ik je straks zien.'

Op de eerste verdieping kwam de trap uit op een brede, lange gang met deuren aan beide kanten. De vrouw deed de derde deur aan de linkerkant open en nodigde Enea uit naar binnen te gaan.

Enea merkte niet dat haar mond openviel. Door een groot raam overspoelde een zee van licht de ruime kamer. In het midden stond een breed bed met een mooie, wollen sprei. Naast het bed stond een comfortabele armstoel met fluwelen zitting. Daarnaast stond een lage kast met een waskom en een met water gevulde kruik. De vrouw opende de grote kast tegen de muur. Die was gevuld met een uitgebreide garderobe.

'Al deze kleren zijn voor jou. Je kunt vrij kiezen wat je wilt dragen. Als je na verloop van tijd ruimere kleding nodig hebt,' de vrouw wierp een blik op Enea's buik, 'dan hoef je dat maar te vragen. We willen dat het jou in de komende maanden aan niets ontbreekt.'

Enea was sprakeloos. De kamer vormde een groot contrast met de kleine slaapkamer die ze in de villa met Byrthe had gedeeld.

'O, hoe onattent van me. Ik vergat me voor te stellen. Mijn naam is Talia. Ik laat je even alleen om te wennen aan je kamer. Later kom ik je halen om je de rest van het huis te laten zien.'

Talia glimlachte warm en verliet toen de kamer. Ze sloot de deur zacht achter zich. Enea bleef verweesd achter. Nog altijd met haar mond open keek ze de kamer rond. Het drong nauwelijks tot haar door dat dit echt haar nieuwe kamer was. Ze ging voorzichtig op de rand van het bed zitten, alsof ze bang was dat alles een droom was en het bed vanzelf onder haar in het niets zou verdwijnen. De matras voelde heerlijk zacht aan en met een zucht liet Enea zich languit op haar rug vallen. Nu pas besefte ze hoe gespannen haar lichaam was geweest tijdens de lange, oncomfortabele reis.

Gedurende enkele ogenblikken stond ze zichzelf toe aan helemaal niets te denken en te genieten van de ontspanning. Meteen daarna kwamen donkere gedachten als onweerswolken opzetten. Ze voelde zich schuldig. Terwijl zij zich hier overgaf aan een weelderige omgeving, vocht Jorund voor zijn leven. Ze zouden hem folteren om alles wat hij wist uit hem te persen. Of was hij al dood? Een traan liep uit haar ooghoek naar haar oor terwijl ze een hand op haar buik legde. De zachte welving was het enige wat Jorund haar had nagelaten. Ze zou de vrucht in haar schoot koesteren als nagedachtenis aan de man die haar leven in gevangenschap draaglijk had gemaakt. Ze was het aan hem verplicht zich niet te laten gaan.

Met een kordaat gebaar veegde ze de traan weg. 'Ik zal sterk zijn voor ons kind, Jorund,' fluisterde ze.

Dat ze het kort na de geboorte al zou moeten afgeven, daar wilde ze nog niet aan denken.

Een zacht kloppen op de deur haalde Enea uit haar over-peinzingen. Ze stond voor het grote raam en keek naar het woeste berglandschap. Voor zich uit zag ze alleen rotsachtige berghellingen. Recht onder haar raam ging het steil naar beneden naar een schuimend riviertje dat zich tientallen meters lager bevond. De ramen waren onbeveiligd en konden gewoon geopend worden. Er was toch geen enkele mogelijk-heid om langs deze weg het gebouw in of uit te komen. De natuur zelf zorgde voor de perfecte beveiliging.

Talia kwam binnen, voorzichtig, alsof ze wilde aangeven dat deze kamer vanaf nu echt Enea's domein was.

'Als je wilt, laat ik je nu graag het huis zien,' zei ze.

Enea knikte. Ze besefte dat ze hier net zo goed een gevan-gene was als in de villa, maar toch gaf Talia haar een gevoel van geborgenheid. Als het haar opdracht was om de meisjes hier op hun gemak te stellen, dan had Yfe in haar de perfecte persoon gevonden. Onbewust maakte Enea de vergelijking met Mika. De contacten met haar waren goed geweest. Mika was vriendelijk en voorkomend, maar altijd had Enea een lichte onderhuidse spanning gevoeld. Misschien kwam dat door de angst. Mika was duidelijk bang voor Yfe. Talia straalde meer rust uit. Ook zij moest ongetwijfeld verant-woording afleggen aan Yfe, maar haar meesteres keek haar niet voortdurend op de vingers. Enea vroeg zich af hoe het met Mika ging. Huiverend zag ze nog altijd het beeld voor ogen van de wachter die Mika onder water duwde terwijl Yfe onbewogen toekeek. Zou het bij die waarschuwing gebleven zijn? Uiteindelijk was Mika ook maar een slavin en dan nog eentje die geen geld meer in het laatje bracht. Yfe zou niet aarzelen om haar uit de weg te ruimen als ze daar reden toe zag.

'Je rilt. Heb je het koud?' vroeg Talia. 'Er liggen warme kleren in de kast, hoor.'

Enea schudde haar hoofd en liep naar de deur. Ze was klaar voor de rondleiding.

'Op deze verdieping zijn de kamers voor onze gasten,' zei Talia, terwijl ze door de gang liepen. 'Momenteel zijn er vijf kamers bezet. De meisjes zijn zwanger, net als jij. In de andere vleugel verblijven de moeders met hun kinderen. Daarvan zijn er momenteel drie. Hun kamers zijn ver genoeg weg, zodat jullie geen hinder ondervinden van het gehuil van de baby's. Hier op de hoek heb je een badkamer. Die delen jullie.'

Talia ging haar voor in de kleine badkamer. In de hoek, verborgen achter een gordijn, bevond zich een toilet.

'Maar 's nachts hoef je je kamer niet uit. Een bediende zet elke avond een schone emmer klaar en haalt die 's morgens weer weg. De badkuip kun je zelf vullen.' Talia wees naar een hendel boven een brede badkuip. 'Als je de hendel overhaalt, komt het water van een reservoir op het dak hier uit deze buis. En hiermee,' Talia drukte op een kristal in de muur net naast de hendel en de wand van het bad lichtte zacht op, 'kun je het water verwarmen.'

Enea trok een vragend gezicht.

'Het is kristalenergie. Het hele geboortehuis is voorzien van energie die uit kristallen wordt gehaald. Weinig huizen op Zeneria hebben deze luxe. Ik betwijfel zelfs of er in de villa kristallen zijn.'

Enea schudde haar hoofd. Dit had ze in de villa inderdaad nog nooit gezien.

'Op dit rek liggen altijd schone handdoeken en in die potjes vind je geparfumeerde zouten en oliën. Je mag alles gebruiken, zo veel je wilt.'

Ze liepen naar buiten en de trap af naar beneden. Een dubbele, eikenhouten deur gaf toegang tot de leefruimte. Vier jonge vrouwen keken op. Twee zaten voor het haardvuur in comfortabele armstoelen. Een zat aan een lange tafel te borduren en de vierde stond bij het manshoge raam. Alle vier hadden ze een bolle buik. Enea herkende vaag een van de gezichten van toen ze net in de villa woonde.

'Meisjes, dit is Enea. Ze komt bij ons wonen terwijl ze op haar kind wacht. Enea, dit zijn Meryan, Suka, Rifka en Imani.'

De jonge vrouwen keken op en knikten Enea vriendelijk toe.

'Dit is de leefruimte waarin je de volgende maanden zult doorbrengen. Bij mooi weer kun je het balkon op.'

Talia wees naar het raam waar Imani stond. Het raam keek uit op een ruim terras. Dat had dezelfde oriëntatie als het raam op Enea's kamer, dus Enea wist dat eronder alleen maar afgrond was.

'Helaas is het hier door de grote hoogte meestal aan de frisse kant. De wind heeft vrij spel tussen de bergen. Maar af en toe is het best aangenaam buiten. Beschouw deze leefruimte als je woning. Je komt en gaat wanneer je zin hebt. Blijf je liever op je kamer, dan is dat geen probleem. Om te verwittigen dat het etenstijd is, hoor je zacht belgerinkel. Geen gong hier,' zei Talia met een glimlach. 'Mannen zijn in dit huis niet toegelaten.'

Ze liepen door de grote leefruimte naar een gang.

'Hier rechts zijn de keuken en de bediendenvertrekken,' zei Talia, wijzend naar een smalle gang. 'Daar komen jullie niet. Hier verder is de grote badruimte.'

Ze gingen een ruimte binnen die Enea deed denken aan de badruimte in de villa, alleen was deze iets kleiner. Centraal bevond zich een groot bad van acht bij vier meter. In de hoek was er een kleiner bad van twee bij twee met dampend water. Langs de kant stonden comfortabele ligstoelen. Op een ervan lag een vrouw te slapen. Ze had zich toegedekt met een grote handdoek, waaronder haar buik hoog opbolde. 'Dat is Maïté. Haar kind zal heel binnenkort komen.' Hoewel Talia zachtjes sprak, weerkaatsten de muren haar stemgeluid. Maïté opende even haar ogen, maar sloot ze meteen weer. Talia liep naar een deur met een klein venster erin. Toen ze die opendeed, kwam een wolk stoom hen tegemoet.

'Dit is de stoomruimte,' legde Talia uit. 'Het is heerlijk ontspannend en het reinigt je lichaam. Blijf er nooit langer in dan comfortabel aanvoelt.'

'Hoe…'

'De warmte wordt, zoals alle energie hier, opgewekt door kristallen. Dit huis werd gebouwd in opdracht van de Skyrth. De technologie die we hier hebben is verbluffend. Geniet ervan zolang je hier bent.'

Talia deed de deur weer dicht en zag Enea kijken naar een deur aan de andere kant van het grote bad.

'Die deur geeft toegang tot de vleugel van de moeders. Daar kom je pas als je bevallen bent. De enige plek die jullie gezamenlijk gebruiken is deze. Ieder moet in zijn eigen vleugel blijven.'

Terwijl ze dat zei, keek Talia Enea indringend aan. Haar blik maakte duidelijk dat ze gehoorzaamheid eiste en deed Enea even aan Yfe denken. Ze mocht haar plaats niet vergeten: ze bleef een gevangene.

7.

Gerolf Breitsang haastte zich door de gangen van het paleis. Hij hijgde van inspanning, maar toch was zijn gezicht bleek weggetrokken. Het nieuws dat hij net had gehoord was ontstellend en hij wist niet hoe hij dit aan de Grootvorst moest overbrengen. Dribbelend op zijn korte beentjes liep hij de vernieuwde vleugel van het paleis in, waar de in de muren ingebouwde kristallen de gangen in een helder licht zetten. Hij wenste dat hij wat minder rijkelijk had ontbeten. Zijn maaginhoud klotste vervaarlijk heen en weer.

De raadsheer van de Grootvorst liep voorbij de communicatie-ruimte en de beveiligde ruimte waar het basiskristal van het paleis stond. Van daaruit werd alle energie over het paleis verdeeld. Hij volgde de gang naar links en kwam voorbij de bad- en ontspanningsruimte van de Grootvorst. Deze ruimte was strikt privé, maar het was geen geheim voor Gerolf Breitsang dat Yfe hier al heel wat tijd met de mach-tigste man op Zeneria had doorgebracht. De ruimte bevatte een rechtstreekse verbindingsdeur met het slaapvertrek van de Grootvorst.

Voor de werkruimte van de Grootvorst bleef Gerolf Breitsang staan. Hij nam even de tijd om op adem te komen en onder-drukte een boer. Zijn maag bleef opspelen. Hij sloeg zijn ogen op, alsof hij hulp vroeg aan een god waar hij niet in geloofde en legde toen zijn hand op de zware deurklink.

Er was niemand in de vergaderzaal. Er stond een rechthoekige tafel in met twaalf met leder beklede stoelen eromheen. In het midden van de tafel prijkte een groot kristal. Dat moest voeding geven aan een hologram dat op termijn de communicatie met de andere steden moest verzorgen. De technici stuitten echter telkens weer op nieuwe problemen en tot groot ongenoegen van de Grootvorst werkte het systeem nog altijd niet. Daardoor bleef direct contact voorlopig enkel mogelijk met het kunsteiland, en dan nog uitsluitend via de communicatieruimte. Dit ongemak zou in het niets verdwijnen bij wat Gerolf Breitsang nu te melden had. Hij liep naar de deur aan de andere kant van de vergaderzaal en klopte aan. Hij lette erop dat hij hard klopte, want de Grootvorst had een grondige hekel aan alles wat op zwakheid wees.

'Binnen!'

De raadsheer onderdrukte opnieuw een oprisping van zijn maag en ging naar binnen. Hij moest echt wat minder gaan eten.

De Grootvorst zat aan zijn bureau over een groot ontrold perkament gebogen. Hij sloeg maar heel even zijn ogen op om te zien wie het waagde hem te storen tijdens zijn werk.

'Breitsang,' zei hij kort. De begroeting leek meer op het gegrom van een wolfshond.

Gerolf Breitsang sloot de deur achter zich en liep naar het bureau toe. Hij zag meteen waarom de Grootvorst zo slechtgehumeurd was. Voor hem lagen de plannen voor de uitbreiding van het tunnelsysteem dat alle steden van Zeneria met elkaar moest verbinden. De Grootvorst hield niet van de risico's die bovengronds reizen met zich meebracht. De Koningsgezinden zouden hem wat graag in een hinderlaag lokken. De ontwikkeling van ondergronds vervoer was een van de grootste verwezenlijkingen van de Skyrth-ingenieurs. Eivormige metalen capsules die plaats boden aan tien volwassen mensen zoefden tegen hoge snelheid door moeizaam uitgegraven tunnels. De energie die daarvoor nodig was, werd ontleend aan kristallen. De grote frustratie van de Grootvorst was de slakkengang waarmee het project vorderde. In twintig jaar tijd waren er tunnels gerealiseerd tussen het paleis en de Tempelberg, en van daar naar de kristalmijnen en naar het geboortehuis. Een verbinding tussen alle steden zou niet alleen bij elke reis de veiligheid van de Grootvorst garanderen, bij uitbreiding zouden alle grondstoffen in een mum van tijd naar overal op Zeneria vervoerd kunnen worden. Het graven van de tunnels ging echter maar langzaam vooruit, en ook het hoge energieverbruik van de reiscapsules was een probleem. Daardoor raakten de grote kristallen in de tempel steeds sneller uitgeput. Het leegroven van de eilanden was maar een tijdelijke oplossing voor dat probleem, maar dat weerhield de Grootvorst er niet van zijn plannen door te zetten.

'Ik vrees dat er vervelend nieuws is binnengekomen, Grootvorst,' begon Gerolf Breitsang.

Van onder zijn dikke wenkbrauwen keek de Grootvorst naar zijn raadsheer. Zijn blik stond dreigend.

Breitsang slikte. 'De commandant van Kraukar is aangekomen.'

'De commandant?' De Grootvorst richtte zich nu helemaal op. 'Wat doet de commandant hier? Waar is Rolund Berger?'

Opnieuw slikte de raadsheer. 'Hij blijkt vermist, Grootvorst.'

'Hoezo, hij is vermist? Wat betekent dat?'

De raadsheer stamelde: 'Niemand weet waar hij is, Grootvorst.'

De Grootvorst liep rood aan. 'Ik weet best wat het woord vermist betekent, Breitsang. Waag het niet mijn intelligentie te onderschatten.'

Gerolf Breitsang werd nog een beetje kleiner dan hij al was. 'Als de secretaris van het garnizoen, die verantwoordelijk is voor de communicatie met het paleis, onvindbaar blijkt, is het de taak van de garnizoenscommandant om desnoods elke steen in Kraukar op te tillen tot hij gevonden wordt!'

'Ik vrees dat dit nu precies het probleem is,' zei Gerolf Breitsang voorzichtig. 'Kraukar is bezet.'

De Grootvorst bleef zijn raadsheer aankijken terwijl hij de betekenis van die woorden tot zich liet doordringen. Zijn volgende woorden klonken dik van dreiging: 'Hoezo… Kraukar is bezet?'

'Een slavenopstand, Grootvorst. De slaven van de ijzererts-mijnen hebben Kraukar ingenomen.'

'Onmogelijk!' bulderde de Grootvorst. 'Waar is dat stuk onbenul van een commandant?'

'Hij wacht in de ontvangsthal, Grootvorst.'

'Laat hem naar de vergaderzaal komen. Nu meteen! En roep de raad samen.' Een blauwe ader op het voorhoofd van de Grootvorst liet zien hoe uitzinnig van woede hij was. 'Wat sta je hier nog te dralen, Breitsang? Nu meteen, heb ik gezegd.'

Gerolf Breitsang maakte een buiging en haastte zich de werkkamer uit. Hij zou nu niet graag in de schoenen van de commandant staan.

8.

Het vertrek van de commandant deed dienst als hoofdkwartier van de opstandelingen. Thom, Jari, Kendra en Lovennia vormden de ruggengraat van het slavenleger. Jareng de krabbenvanger was aangeduid als vertegenwoordiger van de bevrijde slaven en zat mee aan tafel. Twee mannen uit Kraukar, Egon Steenhakker en Miko Windsung, hadden zich gemeld. Ze noemden zich Koningsgezinden en zaten naar eigen zeggen al jaren in het verzet tegen de Skyrth.

'We houden ons vooral bezig met het voorbereiden van transportovervallen,' zei Egon Steenhakker. 'In Kraukar worden veel wapens gemaakt van ijzererts dat in de mijnen gedolven wordt. Van hieruit vertrekken dan transporten. Onze taak bestaat vooral uit het doorgeven van informatie over het tijdstip en de bestemming van de transporten. We werken in golven. Na elke aanval verscherpt het toezicht op de transporten en dan houden we ons gedeisd. Na een tijdje verslapt de waakzaamheid en dan slaan we opnieuw toe. We zijn niet met heel veel, maar we zijn goed georganiseerd,' zei Egon.

'Wie leidt jullie?' wilde Thom weten.

'Het verzet is ontstaan in Zeneria-Stad,' antwoordde Miko.

'De kern van het verzet zit daar. We hebben heel geregeld contact.'

Jari knikte naar Thom. Hij lette op de voorhoofdchakra's van de mannen en kon hen niet op leugens of op slechte intenties betrappen.

'We moeten met hen in contact komen. Ze moeten weten wat hier is gebeurd.'

'Er is al een boodschapper onderweg,' zei Egon. 'Zodra de gevechten waren losgebarsten, hebben we iemand op pad gestuurd. Het is een halve dag rijden; ze zullen nu al op de hoogte zijn.'

Het zinde Lovennia niet dat deze mannen op eigen initiatief een boodschapper hadden gestuurd. Wat haar betrof bevonden ze zich in een vijandig land en konden ze tot nader order niemand vertrouwen.

'We zullen goede afspraken moeten maken,' zei ze. 'Elke actie die we ondernemen moet van hieruit geleid worden. We hebben een duidelijk overzicht nodig.'

Thom knikte instemmend.

'Niemand kan ons verbieden contact te leggen met onze medestanders in andere steden,' zei Egon bits. 'Vergeet niet dat dit ons land is.'

Met een verbeten trek om zijn mond keek hij Lovennia aan. Die richtte zich al half op, maar Thom legde een hand op haar arm. Ze ging weer zitten.

'Laten we vooral het hoofd koel houden,' zei hij snel. 'Natuurlijk is dit jullie land en we hebben jullie kennis nodig als we iedereen willen bevrijden. Maar Lovennia heeft gelijk. Vanaf nu moeten we alles goed coördineren. Elke fout kan levens kosten.'

Miko maakte een verzoenend gebaar. 'Natuurlijk,' zei hij. 'Dat begrijpen we. Egon bedoelt het niet zo.'

Egon knikte kort, een gebaar dat het midden hield tussen een bevestiging van Miko's woorden en een verontschuldiging.

'Hoe kunnen we in contact komen met jullie mensen in Zeneria-Stad?' vroeg Thom.

'Ik vermoed dat ze hier snel zullen staan,' antwoordde Miko.

Kirsha's vingertoppen gingen heen en weer over het tafelblad. In gedachten zag ze nog het lachende gezicht van Stanis. Hij had Kirsha meegetroond naar buiten en haar trots de tafel getoond die hij voor haar had gemaakt. Samen met Storm hadden ze de tafel van zijn kar geladen en naar binnen gedragen. 'Samenzweerders kunnen beter rond een tafel vergaderen dan op de grond op kussens,' had hij gezegd.

En nu lag Stanis begraven in de tuin. Nog altijd vroegen de andere verzetsleden zich af wat er met hem gebeurd kon zijn. Iedereen had zijn voelsprieten uitgestoken en zijn contacten aangesproken, maar de man leek wel opgelost in het niets. Kirsha leed eronder dat ze niets kon zeggen, maar ze was begonnen met een leugen en ze moest dit spel tot het bittere eind uitspelen. Elke dag liep ze naar de composthoop waaronder Stanis lag begraven en vroeg ze hem om vergiffenis.

Zeneria-Stad gonsde van de geruchten. De commandant

van Kraukar was vierklauwens het paleis binnengereden, geëscorteerd door een groot aantal lijfwachten. Niemand wist precies wat er gaande was, maar overal werd volop gespeculeerd. Het gerucht deed de ronde dat Kraukar in brand stond, maar dat werd dan weer tegengesproken door de bewering dat er een mijnramp gebeurd zou zijn.

Rond deze tafel werd niet gespeculeerd. Na een tip had Léon zich naar *De Drie Vaten* gehaast, de herberg waar een boodschapper van Kraukar op hem zat te wachten. Via een grote omweg door een wirwar van steegjes was Léon met Tormann, de boodschapper, naar het huis van Kirsha gelopen, waar de voltallige vergadering intussen samen was. Tormann zat op Stanis' lege plek en vertelde wat er aan de hand was in Kraukar.

'Ik heb de afloop van de gevechten niet afgewacht, maar de slaven overspoelden de stad. Ze werden aangevoerd door geoefende krijgsvrouwen. Ik geloof nooit dat het garnizoen het kan halen tegen die overmacht.'

'Is er al nieuws van het paleis?' vroeg Gregor.

Niemand antwoordde.

'Maar waarom zou de commandant met zijn lijfwacht in allerijl naar het paleis rijden, tenzij hij de situatie niet onder controle krijgt?'

'Precies iets voor dat Skyrthgebroed om te vluchten als de grond hun te heet onder de voeten wordt,' gromde Melvin.

'Die krijgsvrouwen, waar komen die vandaan?' wilde Brentak weten.

'We hebben geen idee,' zei Tormann. 'Egon opperde dat ze misschien van het slaveneiland komen.'

'Dat zou kunnen betekenen dat Reikon en zijn mannen buiten strijd zijn,' zei Gregor.

Kirsha's hart begon sneller te slaan. Herakla had gezegd dat koningin Leila iemand voorbereidde. De waarzegster had verschrikt gekeken toen ze sprak over bloed dat van overzee zou komen. Had haar voorspelling hier iets mee te maken?

'Ik ga met je mee terug naar Kraukar, Tormann,' zei Gregor. 'We moeten weten wat er gaande is.'

'Ik wil ook mee,' zei Kirsha snel.

'In geen geval,' zei Gregor. 'Jij bent hier nodig. Ik wil dat je terug naar de kerkers gaat. We moeten weten hoe het met Jorund is. We kunnen ons niet veroorloven dat hij gaat praten.'

'Hij is niet in staat om iets te zeggen, Gregor. Dat zei ik je al.'

'Zijn toestand kan veranderen. Er hangt te veel van af. Misschien moeten we hem uit zijn lijden verlossen.'

Kirsha keek Gregor geschokt aan. De anderen vermeden het naar Kirsha te kijken.

'Na wat hij allemaal voor de Koningsgezinden heeft gedaan?'

'Wil je dat de Skyrth hier aan je deur staat? Dat ze Siggie en Storm komen halen? Iedereen die bij het verzet gaat, weet waar hij aan begint, Kirsha. De afspraken zijn duidelijk. Maar ik begrijp het als het te zwaar voor je is. Dan sturen we iemand anders.'

Kirsha hapte naar adem en bedwong haar tranen. Ze omklemde het tafelblad en zei: 'Ik zal het doen.'

'Als het nodig is, moet je hem helpen, Kirsha. Hij zal je dankbaar zijn,' zei Gregor zacht.

'Ik zal het doen, zeg ik toch,' beet ze hem toe. Ze stond op en liep naar buiten, terwijl ze met een woest gebaar de tranen uit haar ogen veegde.

De commandant zag bleek toen hij de vergaderzaal betrad. Gerolf Breitsang deed de deur achter hem dicht, blij dat de toorn van de Grootvorst deze keer niet op hem gericht zou zijn. De raadsheer nam plaats op de stoel naast zijn heer. De acht leden van de raad keken gespannen toe. Niemand nodigde de commandant uit een stoel te nemen, dus bleef de man staan.

De stem van de Grootvorst klonk donker en beheerst toen hij de commandant vroeg verslag uit te brengen. De commandant probeerde niet te hakkelen terwijl hij het relaas van de gebeurtenissen deed. Iedereen luisterde vol ongeloof. Kraukar ingenomen? Een inval van buitenaf was altijd ondenkbaar geweest. Nooit had Zeneria met die mogelijkheid rekening gehouden.

'En Reikon? Hij drijft met een volledig garnizoen op nauwelijks enkele kilometers van Kraukar. Waarom komt hij niet helpen? Hij moet toch merken dat de stad brandt?'

'De schepen komen van het kunsteiland, Grootvorst,' zei de commandant.

De Grootvorst richtte zich tot zijn raadsheer. Breitsang slikte.

'Wanneer is er voor het laatst contact geweest met Reikon? Is die verdomde communicatie al hersteld?'

'Jawel, Grootvorst,' haastte Breitsang zich te zeggen. 'Maar Reikon zelf was te ziek om contact op te nemen. Er is alleen contact geweest met de technici.'

'Te ziek om te spreken, zeg je? En waarom ben ik daar niet van op de hoogte gebracht?'

'Ik eh… ik dacht dat het niet belangrijk was.'

'Niet belangrijk? Ach zo, niet belangrijk! Een vreemde strijdmacht valt een van onze steden aan en roeit een heel garnizoen uit als ik moet geloven wat hier allemaal verteld wordt, maar dat is niet belangrijk?'

De Grootvorst liep rood aan en Breitsang trok zijn hoofd tussen zijn schouders.

'Dat bedoel ik niet, Grootvorst,' begon hij. Hij wist dat hij nu zijn woorden moest wikken en wegen om de schade te beperken. 'Ik wil alleen zeggen dat…'

'En jij!' voer de Grootvorst uit tegen de commandant. 'Sinds wanneer laat een commandant zijn garnizoen in de steek? Werd je soms bang?'

De commandant stond te beven. 'Nee, Grootvorst. Ik zag dat we de strijd aan het verliezen waren en dacht dat ik beter u kon gaan waarschuwen.'

'En daarvoor moet je met je voltallige lijfwacht naar hier komen, als een bange haas die naar zijn hol vlucht? Wat is er mis met het sturen van een boodschapper?'

'Ik dacht…'

'En ik denk dat jij wat te veel denkt!' riep de Grootvorst. 'Wat heb ik aan een commandant die niet bij zijn troepen blijft? Zijn dit de mensen op wie Zeneria moet rekenen?' De Grootvorst keek de tafel rond en iedereen probeerde zijn angst te verbergen. Toen richtte hij zich opnieuw tot de garnizoenscommandant. 'Als ik het goed heb begrepen, heb je nu geen garnizoen meer.'

De commandant slikte. 'Dat is correct, heer.'

'Dus ben je als commandant ook niet meer van tel. Wachters!'

De deur ging open en twee wachters kwamen binnen.

'Breng de commandant naar de kerker en ontdoe hem van zijn uniform. Zeneria heeft met hem niets meer te maken. Verwittig de beul. Een uur voor zonsondergang gaat deze man naar de onthoofder.'

'Heer Grootvorst,' begon de commandant op smekende toon.

'Bespaar me je smeekbede,' beet de Grootvorst hem toe. 'Wees tenminste nog man genoeg om je lot te dragen. Weg met die lafaard!'

De soldaten grepen de commandant vast en namen hem mee naar buiten.

'Breitsang, laat de technici onmiddellijk contact opnemen met het kunsteiland. Ziek of niet ziek, ik wil Reikon spreken. Kom me halen zodra het contact gelegd is.' De Grootvorst wierp een giftige blik op het onbruikbare kristal in het midden van de tafel. Toen keek hij naar de acht raadsleden. 'Heren, we hebben een crisis te beteugelen. Wat zijn jullie voorstellen?'

9.

Kirsha liet zich meevoeren met de mensenstroom die zich door de paleispoort wurmde. Het nieuws deed de ronde dat er een publieke onthoofding op handen was. Het feit dat de veroordeelde een leidinggevend lid van de Skyrth was, lokte extra veel nieuwsgierigen naar de plaats van executie. Het was een koud kunstje om binnen te komen. De controle bij de poort stelde niets voor. De ingangen van het hoofdgebouw werden echter allemaal bewaakt. Tussen de drommen toeschouwers trok Kirsha snel de witte bediendenschort aan die ze na haar vorige bezoek bij zich had gehouden. Met bonzend hart begaf ze zich naar de ingang. Ze deed alsof ze haast had en knikte de bewakers vriendelijk toe. Die zetten zonder nadenken een stap opzij en lieten haar door. Kirsha haastte zich door de lege gangen. Iedereen stond op het binnenplein om de onthoofder in werking te zien. Dat niemand wist waarom de man veroordeeld was, gaf alleen maar voeding aan de heersende opwinding. Kirsha had wel een idee waarom de commandant van Kraukar in ongenade was gevallen. Als de slaven het garnizoen inderdaad hadden verslagen, zou de Grootvorst woedend zijn. In Kraukar bevonden zich belangrijke wapenvoorraden en die vielen nu in handen van de opstandelingen. De Skyrth zag zich in één klap geplaatst tegenover een goed uitgerust leger.

Kirsha's hersenen draaiden op volle toeren. Ze zocht wanhopig naar een smoes om voorbij de wachters in de kerker te komen. Haar hart stond even stil toen ze een wachter op enkele passen van de deur naar de kerker door het raam zag staan kijken. Ze verborg zich in een nis. Toen ze een deur hoorde opengaan hield ze haar adem in.

'Ik moet plassen,' hoorde ze zeggen.

'Ja, en?'

'Dan zit de gevangene alleen.'

'Alsof die ergens heen kan.'

'Het wachtlokaal mag nooit onbemand blijven.'

'Zie jij de kapitein dan?'

'Nee.'

'Natuurlijk niet, die wil het schouwspel niet missen. Ik ook niet, hoor. Die arme drommel blijft wel zitten waar hij zit. Of heb je zijn cel opengezet, misschien?'

'Natuurlijk niet.'

'Wat sta je dan in je broek te krabben? Ga plassen en laat mij van het spektakel genieten... Een garnizoenscommandant, verdorie. Dat maak je ook niet alle dagen mee.'

Kirsha drukte zich plat tegen de muur toen voetstappen haar richting uit kwamen. De nis was niet diep en de schaduw bedekte haar niet helemaal. Angstvallig hield ze haar adem in. De wachter liep haastig voorbij, te zeer geconcentreerd op zijn volle blaas om aandacht te schenken aan zijn omgeving. Voorzichtig stak Kirsha haar hoofd uit de nis. Ze schatte haar kansen in. De wachter keek ononderbroken door het raam om maar zeker niets te missen. Kirsha besloot het erop te wagen. Als hij haar opmerkte, kon ze nog gewoon rechtdoor lopen, alsof ze gewoon passeerde. Op de toppen van haar tenen kwam ze dichterbij. De wachter had de deur laten openstaan, dat was een meevaller. De man bij het raam keek niet om. Kirsha durfde nauwelijks te ademen, terwijl ze achter hem langs sloop. Net toen ze de deuropening naar de trap indook, hoorde ze zijn stem.

'Daar heb je hem.'

Buiten steeg een gejoel op. Kirsha liep haastig verder en probeerde haar ademhaling tot bedaren te brengen. De wachter had gewoon in zichzelf gesproken.

Zo snel ze kon, daalde Kirsha de trap af. Beneden griste ze de sleutelbos mee die op de tafel lag. Ze huiverde toen ze door de folterkamer kwam en liep snel naar de cel van haar broer. Hij lag met zijn rug naar haar toe. Zenuwachtig probeerde ze sleutel na sleutel. Ze moest moeite doen om het trillen van haar handen te bedwingen, terwijl een waanzinnig plan zich aan haar opdrong. Dit was ze helemaal niet van plan geweest, maar ze was bereid het risico te nemen. Ze slaakte een zucht van verlichting toen de zesde sleutel de juiste bleek. Met een droge klik ging het slot open.

'Jorund, ik ben het,' zei ze, terwijl ze naast hem neerknielde. Kreunend draaide Jorund zich op zijn rug. Hij probeerde haar naam uit te spreken, maar zijn gebarsten lippen kwamen niet van elkaar. Hoewel hij er vreselijk uitzag, had Kirsha nu geen tijd voor medelijden. Ze moest snel zijn.

'Kun je lopen?'

Jorund keek haar vragend aan.

'Hebben ze je benen gebroken?' vroeg Kirsha terwijl ze met haar handen onderzoekend langs zijn benen ging.

Jorund schudde zijn hoofd.

'Probeer dan op te staan. Ik help je wel.'

Weer die vragende blik.

'Ik haal je hieruit, Jorund. Iedereen staat op het binnenplein. Er is een terechtstelling. Als we ons tussen de massa kunnen mengen, hebben we een kans om hieruit te geraken.'

De blik in Jorunds ogen werd paniekerig. Hij schudde zijn hoofd.

'Niet tegenstribbelen, Jorund. Dit is mijn beslissing. Ik ga hier niet weg zonder jou.'

Ze trok hem overeind en negeerde zijn hevige gekreun. Met veel moeite slaagde ze erin hem op de been te krijgen en ze legde zijn arm over haar schouder.

'Nu moet je dapper zijn, Jorund. Ik wil dat je al je kracht verzamelt om mee naar huis te gaan.'

Strompelend volgde Jorund zijn zus de cel uit en de gang door naar de folterruimte. Kirsha griste een lang, vlijmscherp mes van de muur. Het kleine wachtlokaal was nog altijd verlaten. Kirsha's oog viel op de lange, donkere mantels die de wachters droegen wanneer ze met slecht weer buiten bij de poort of op de transen stonden. Zonder aarzelen pakte ze er een van de haak en hing die over Jorunds schouders. Op dat moment hoorde ze voetstappen op de trap.

'Blijf hier staan,' siste ze.

Ze liet haar broer met zijn rug tegen de muur leunen en drukte zich met haar rug tegen de muur naast de trap. De wachter zag haar niet en kwam het lokaal binnen. Hij vloekte luid toen hij Jorund zag staan.

'Hoe kom jij daar, verdorie?'

Het volgende geluid dat hij maakte was een zwak gereutel toen het vlijmscherpe staal van Kirsha's mes zijn keel doorboorde. De wachter viel dood neer. Kirsha ondersteunde Jorund weer en liep samen met hem de trap op. Het kostte haar moeite zich aan te passen aan zijn tergend langzame tempo. De andere wachter stond nog altijd uit het raam te kijken. Buiten jouwde de massa de veroordeelde uit. Kirsha maakte zich voorzichtig los van haar broer en sloop naar de wachter toe.

'Het spijt me,' fluisterde ze.

'Wat... ?'

In één zelfverzekerde beweging sneed ze de keel van de wachter over. Die greep naar zijn bloedende hals en zakte rochelend op zijn knieën. Kirsha liep terug naar haar broer en ondersteunde hem terwijl ze zo snel mogelijk door de lange gang liepen. Bezorgd wierp ze een blik op het gezwollen en met bloedkorsten bedekte gezicht van Jorund. Ze bad dat iedereen op het binnenplein stond. Maar er waren nog altijd de wachters bij de ingang. Hoe kon ze hun aandacht afleiden? Ineens merkte ze dat ze het bebloede mes nog vasthad. Haar bediendenschort zat ook onder het bloed. Snel trok ze de schort uit en wikkelde het mes erin. Zonder te stoppen wierp ze het bundeltje in de schaduw van een nis. Ze bereikten de deur, maar nog altijd had Kirsha geen plan. Jorund leunde zwaar op haar schouder; hij was uitgeput. Besluiteloos bleef Kirsha voor de gesloten deur staan. Wat kon ze doen? De deur gewoon opentrekken en doodleuk naar buiten stappen? Met haar bediendenschort zou ze niet zijn opgevallen, maar die was ze kwijt. Jorund zouden ze sowieso tegenhouden. Elke deur werd ongetwijfeld bewaakt, maar zonder de mensenmassa om zich tussen te verschuilen zouden ze nooit ongezien wegkomen. Via het binnenplein gaan was hun enige kans, maar hoe reëel was dat? Was ze niet gewoon bezig met zelfmoord plegen? Zonder plan had ze impulsief beslist haar broer te bevrijden en nu besefte ze dat ze met haar rug tegen de muur stond. Ze keek wanhopig naar Jorund, die zich kranig rechtop hield, toen buiten ineens een luid geschreeuw losbarstte. Dit was ongetwijfeld het moment waarop het hoofd van de veroordeelde eraf ging. Vurig hopend dat de wachters zouden proberen een glimp van het rollende hoofd op te vangen, trok Kirsha in een opwelling de deur open. Ze had gelijk: de wachters hadden allebei een paar stappen naar voren gedaan en keken reikhalzend naar het gruwelijke schouwspel.

'Loop zo normaal mogelijk,' siste Kirsha.

Ze trok Jorund mee en liep achter de ruggen van de bewakers door de mensenmassa in. Snel bewogen ze zich meer naar het midden van de menigte, uit het zicht van de wachters.

Nu het hoofd gerold had, begonnen de mensen zich naar buiten te begeven. Kirsha en Jorund schuifelden onopvallend in het midden van de massa met de stroom mee. Kirsha trok Jorunds capuchon zo ver mogelijk over zijn hoofd en ondersteunde haar broer zo ongemerkt mogelijk. Ze moesten onder de poort door zijn voor de dode wachters werden opgemerkt.

Kirsha's hart bonsde in haar keel toen ze de schildwachten bij de poort in de gaten kreeg.

'Kijk naar beneden,' fluisterde ze in Jorunds oor.

Zelf keek ze zo onverschillig mogelijk voor zich uit. Naast haar keek een vrouw fronsend naar Jorund. Kirsha schonk haar een giftige blik en de vrouw wurmde zich snel voor een andere vrouw die voor haar liep.

'Hé, kun je niet uitkijken?'

'Wat is jouw probleem?'

'Je hoeft niet voor te dringen, hoor. Je komt heus wel buiten.'

'Willen jullie wel eens verderlopen!' riep een van de wachters boos. 'Ga buiten ruziemaken!'

De vrouwen hielden wijselijk hun mond. Dankbaar dat de twee kibbelende vrouwen de aandacht ongewild naar zich toe hadden getrokken, schuifelde Kirsha met haar broer onder de poort door. Met inspanning van al zijn krachten bleef Jorund rechtop lopen tot ze uit het zicht van de poort een steegje in konden glippen. Hij leunde moeizaam ademend tegen de muur. Kirsha besefte dat hij nooit het hele eind tot aan haar huis zou kunnen lopen. Ze hadden hulp nodig. Om zich heen kijkend dacht ze na. *De Drie Vaten*! In die herberg zaten altijd veel Koningsgezinden. Het was hun vaste plek om boodschappers van andere steden te ontmoeten.

'Hou nog even vol, Jorund. Zo meteen mag je rusten.'

Ze sloeg zijn arm over haar heen en liep door achterafsteegjes naar de achterkant van de herberg.

'Wacht even. Ik kom zo terug.'

Jorund leunde zwaar tegen de muur terwijl zijn zuster door de achterdeur de herberg binnenging. Door zijn gebroken ribben was elke inademing een marteling. Hij was misselijk van de pijn. Kreunend zakte hij door zijn knieën. Toen zijn zitvlak de grond raakte, verloor hij het bewustzijn en viel hij zijdelings om.

'Jorund!'

Kirsha rende naar haar broer toe en knielde naast hem neer. Ze herhaalde zijn naam en sloeg op zijn wangen terwijl de tranen over haar gezicht rolden.

'Jorund, alsjeblieft. Nee!' huilde ze.

Op zijn beurt knielde de waard naast Jorund neer en legde twee vingers tegen zijn hals.

'Bedaar, Kirsha. Hij leeft,' zei hij. 'Kerr, haal de stootkar. Snel!'

De jongeman die mee naar buiten was gekomen deed haastig wat hem gevraagd werd. Samen met de waard legde hij Jorund op de stootkar. De waard bedekte Jorund met een grote, vuile doek. Daarna gooide hij er nog wat extra doeken bovenop.

'Dat moet het maar doen,' zei hij. 'Breng hem snel weg. Kirsha wijst je de weg wel.'

Kirsha bedankte de waard en liep snel voorop. Ze kende Kerr alleen van gezicht, maar ze wist dat hij veel sympathie had voor de Koningsgezinden. Volgens Léon was de jongen geschikt om in te schakelen bij hun acties. Dat was bij dezen dan gebeurd. Ze meden de drukte van de terugkerende massa zo veel mogelijk en pas toen ze niemand meer zag, durfde ze Kerr rechtstreeks naar haar huis te leiden.

10.

'Het hart van de Skyrth bevindt zich in Zeneria-Stad. De Grootvorst regeert er met de raad vanuit het paleis dat vroeger aan de koning toebehoorde.'

Gregor wees de stad aan op de kaart die hij net ruw had geschetst.

'Het is belangrijk dat we Zeneria-Stad zo vlug mogelijk isoleren. Dat betekent dat de twee kleinere steden ten oosten van Kraukar, Berg en Zuidstad, ingenomen moeten worden. Dat kan niet moeilijk zijn, want in geen van beide steden is een garnizoen gelegerd. Van daaruit loopt een lange weg naar het oosten. Die komt voorbij een dorpje van geen betekenis, maar daarna kom je bij de zilvermijnen van Argar. Daar werkt ook een groot aantal slaven, onder toezicht van het garnizoen dat in Argar gelegerd is. Zodra we Berg bezet hebben, is de verbindingsweg tussen Zeneria-Stad en Argar afgesloten. Dat betekent dat er geen boodschappen heen en weer gestuurd kunnen worden.'

'Ze hebben toch die zuilen?' weerlegde Thom.

'Er is een communicatiesysteem met het slaveneiland, maar voor zover wij weten gebeurt alle overige communicatie via boodschappers. Verder heb je in het noordwesten Farral met zijn ijzermijnen en Hakstad aan de rand van het woud.

Er zijn ook slavenkampen, bij Farral voor het werk in de mijnen en bij Hakstad voor de houtkap.'

'Dus ook garnizoenen?'

Gregor knikte. 'Allebei zo groot als dat van Kraukar.'

'Dat we net hebben verslagen,' zei Lovennia. Het zinde haar helemaal niet dat Gregor de indruk wekte de lakens te willen uitdelen en het kostte haar moeite vriendelijk te blijven.

'Het komt allemaal aan op snelheid,' zei Gregor. 'De raad neemt nu ongetwijfeld maatregelen om Kraukar aan te vallen en ze zullen ongetwijfeld boodschappers naar de andere garnizoenen sturen. Als we Berg, Farral en Hakstad innemen is er geen communicatie meer mogelijk met het oosten van het eiland. We controleren dan alle wegen daarheen.'

'Ze kunnen toch boodschappers door het binnenland sturen?' vroeg Lovennia.

'Te onherbergzaam,' zei Miko. 'Die zouden veel te lang onderweg zijn.'

'Bovendien hebben we al mannen uitgestuurd om de doorgang naar de bergpassen te bewaken.'

'Jullie hadden dit plan dus al van tevoren uitgedokterd?' vroeg Lovennia wantrouwend.

'Als je Zeneria kent, is daar niet veel denkwerk voor nodig,' antwoordde Gregor. 'Aan de westkant bestaat het in het binnenland uit vrijwel ondoordringbaar oerwoud en verder uit onvruchtbaar gebergte.'

'Hoe komen we naar het noorden?' wilde Thom weten. 'De weg loopt door Zeneria-Stad.'

'Over water,' antwoordde Gregor. 'Er is veel handel tussen Kraukar en Farral. Niemand zal opkijken als er schepen binnenvaren. Als we onmiddellijk naar de mijnen gaan, hebben we de slaven bevrijd voor het garnizoen op volle sterkte kan reageren. Belangrijk is dat we met een deel van onze strijdmacht meteen doorstoten naar Hakstad, voor ze daar de tijd krijgen zich te organiseren.'

Lovennia beet op haar lip. Wat Gregor zei klonk meer dan logisch, maar ze haatte het te moeten luisteren naar een man. 'Kristallijn zal de moeilijkste hindernis vormen,' zei Gregor terwijl hij naar de stad in het oosten wees. 'Daar is een groot garnizoen gelegerd. Als we oprukken vanuit Argar zullen ze ons van ver zien komen. De weg wordt geflankeerd door een steile bergwand en de zee. Het fort van het garnizoen ligt ten zuiden van de stad, de kristalmijnen een eindje landinwaarts. Die weg is de enige manier om daar te komen. De kust is er te ruw om schepen te gebruiken. Bovendien bevindt zich daar in de buurt een groot militair opleidingskamp. De Skyrth bouwt zijn leger steeds verder uit.'

'Als je het mij vraagt, is die stad onneembaar,' zei Jari.

Hij keek naar Thom en Lovennia, maar die deden er het zwijgen toe. Ook zij waren onder de indruk van de troepenmacht die in het oosten van Zeneria op hen wachtte. Als dat leger in beweging kwam voor zijzelf voldoende georganiseerd waren, kon heel de operatie alsnog mislukken.

'Dan moeten we een list gebruiken om de stad van binnenuit te ondermijnen. Als wij de slaven niet kunnen bevrijden, moeten ze dat zelf doen.'

Iedereen keek Miko Windsung aan. Hij legde zijn plan uit.

'Een leger dat eraan komt, doet meteen alarm slaan. Maar een paar soldaten met een gevangene niet. We doen of we een slaaf naar de kristalmijn brengen in opdracht van de Grootvorst. Het gebeurt vaker dat een dief veroordeeld wordt tot arbeid in de mijnen. Niemand zal ervan opkijken. In het slavenkamp kunnen we vertellen wat er gaande is in Zeneria. Als ze weten dat er buiten een leger wacht om hen te helpen, zal er niet veel overredingskracht nodig zijn om een opstand uit te lokken. De aandacht van het garnizoen wordt naar de mijnen getrokken en ons leger kan oprukken naar de stad.'

'Dan nog zullen wachtposten ons snel genoeg in de gaten krijgen,' zei Egon Steenhakker. Hij had met een norse blik in zijn ogen naar het plan van Miko geluisterd.

'Klopt, maar ze zullen hun aandacht moeten verdelen over twee fronten.'

'En met de slaven van Argar in onze rangen staan wij weer een stuk sterker,' zei Thom, ook al was hij niet helemaal overtuigd.

'Toch vind ik het riskant,' mopperde Egon.

'Heb je een beter idee?' vroeg Miko.

Iedereen rond de tafel keek naar elkaar, maar er kwam geen ander voorstel. Uiteindelijk nam Thom het woord.

'Geen tijd te verliezen dan. We moeten onze troepenmacht opsplitsen en zo snel mogelijk in actie komen.'

'Ik stuur iemand naar Zeneria-Stad om verslag uit te brengen aan de Koningsgezinden,' zei Gregor.

'Ik ga wel,' bood Miko aan.

Gregor knikte en Miko vertrok meteen.

11.

Het grote gebouw stak donker af tegen de loodgrijze lucht. Anders dan in de kustgebieden was het in het binnenland vaak zwaar bewolkt. Ondanks de oncomfortabele reis werd Yfe vervuld van een gevoel van trots. Hier werd de nieuwe Skyrth-generatie geboren. Tot nu toe had de Skyrth zijn leden geronseld uit de gewone bevolking van Zeneria. Met overtuigingskracht en beloftes van macht en rijkdom had de sekte heel wat jonge mannen naar zich toe weten te lokken. De Skyrth breidde uit en werd alsmaar machtiger. Nieuwe, beloftevolle rekruten kregen heel wat geld toegestopt zodat ze, zonder het zelf te beseffen, hun ziel verkochten aan de Grootvorst, maar dankzij het ambitieuze plan van Yfe zou trouw aan de Skyrth een vanzelfsprekende eigenschap worden. Na een ontspannend bezoek aan de luxueuze badruimte was Yfe met de Grootvorst meegegaan naar zijn slaapvertrek. Terwijl ze hem liefkoosde was het idee in haar opgekomen. Heel helder, alsof het al jaren in haar hoofd had liggen sluimeren, wachtend op een moment om zich aan te dienen.

'Wat we net gedaan hebben, kan de toekomst van Zeneria bepalen.'

De Grootvorst had haar fronsend aangekeken. Hij hield er niet van als mensen rond de pot draaiden. 'Als je iets te zeggen hebt, doe dat dan rechtuit,' was zijn motto.

'De Skyrth stopt heel wat energie en geld in het ronselen en opleiden van nieuwe leden,' zei Yfe terwijl ze met haar vingers door zijn baard ging. 'Waarom niet investeren in het zelf maken van toekomstige leden?'

'Hoe bedoel je?'

'De Skyrth-leden zijn allemaal mannen die gekneed worden naar jouw ideeën. Dat kost moeite en je moet altijd rekening houden met een factor van onzekerheid. Wat als de Skyrth een trouweloos persoon heeft aangetrokken? Als je de jongens zelf opvoedt, sluit je dat risico uit. Je plant je ideeën van kindsbeen af in hun hoofd. Het resultaat is een generatie die voor de Skyrth door het vuur gaat.'

'Hoe denk je dat te realiseren?'

'Jij hebt de mannen, ik de vrouwen. Je weet dat ik alleen de beste meisjes selecteer. Door meisjes van de eilanden te nemen weet je bovendien zeker dat er geen kans op verwantschap bestaat. Iets dat binnen Zeneria lang niet zeker is. Het resultaat is een sterker geslacht. Je zou de kinderen ver van de bewoonde wereld kunnen opvoeden, volgens een programma dat je zelf hebt samengesteld. Als ze volwassen zijn, geef je ze leidinggevende functies. De Skyrth zal er veel sterker door worden.'

'Wat doe je met de meisjes die geboren worden? Je weet dat de Skyrth alleen uit mannen bestaat.'

'Die kunnen we natuurlijk niet bij hun moeder laten. Mijn meisjes lopen perfect in het gareel en doen wat ik hun vraag, maar ik kan hen niet verplichten om sympathie te voelen voor de Skyrth. Hun dochters zouden met haatgevoelens tegen de Skyrth opgevoed worden en dat kunnen we natuurlijk missen. Bovendien is een moeder met een kind in de buurt slecht voor de zaken,' zei Yfe glimlachend. 'Het kan geen probleem zijn om de meisjes onder te brengen in gezinnen die de Skyrth genegen zijn. Zo zou je invloed daar alleen maar sterker worden.'

De Grootvorst pakte haar kin vast en duwde haar hoofd van zich af.

'Ik veronderstel dat jij die meisjes niet voor niets zwanger laat worden.'

Yfe glimlachte fijntjes. 'Dat zou niet getuigen van zakelijk inzicht, toch?'

Ze duwde zijn hand weg en kuste hem vol op de mond. Het feit dat hij niet tegenstribbelde, betekende dat hij iets zag in haar idee.

Ze was er niet armer door geworden, dat gaf Yfe grif toe, maar de Skyrth mocht haar dankbaar zijn. Het geboorteprogramma zou verhinderen dat mannen zoals die Jorund in de toekomst het nest van de Skyrth zouden bevuilen. Het programma vergde tijd. De oudste kinderen waren nu zes jaar, maar ooit zouden ze volwassen zijn, en na hen zouden er nog veel meer komen. Intussen werd Yfe steeds rijker. Weinigen op Zeneria konden hun rijkdom meten met de hare.

Maar met geld kon ze geen gemoedsrust kopen. De woorden van Herakla spookten door haar hoofd. Wat als Zeneria op de rand van een ommekeer stond? Wat als de Skyrth aan het wankelen ging? Alles wat ze had opgebouwd had ze gedaan onder het goedkeurend oog van de Skyrth. De sekte zorgde ervoor dat haar zaak bloeide. Ze hoopte maar dat het bloed het paleis niet zou bereiken.

Aan de andere kant, de Grootvorst was niet van gisteren en zijn troepen werden gevreesd. Waarschijnlijk maakte ze zich zorgen om niets. De toverkol was oud en stopte haar afkeer van Yfe niet onder stoelen of banken. Misschien had ze haar gewoon bang willen maken. Als dat zo was, dan was ze daar in elk geval in geslaagd.

'Vrouwe, we hadden u helemaal niet verwacht,' begroette Talia haar. Ze was geschrokken door de onaangekondigde komst van haar meesteres. Ze herstelde zich echter vrijwel onmiddellijk. 'Wees welkom. Ik laat uw vertrekken ogenblikkelijk in gereedheid brengen.'

Yfe schonk geen aandacht aan de ongelukkige begroeting. 'Ik weet zeker dat mijn vertrekken er piekfijn bijliggen,' zei ze. 'Ik ga er onmiddellijk naartoe.'

'Zoals u wenst, vrouwe. Ik laat uw koffers naar boven brengen.' Talia gaf instructies aan de bedienden terwijl Yfe over de brede trap naar boven liep. Haar mantel sleepte als een koninklijk gewaad achter haar aan. Op de tweede verdieping stond ze zichzelf toe een zucht van verlichting te slaken.

Ze liep door de dubbele deur de salon in. Daar stonden een bank en twee stoelen, allemaal met donkerrood fluweel bekleed, en een massieve, eikenhouten salontafel. De deur naar haar werkkamer stond open. Daar prijkte een groot, eikenhouten bureau met een zware stoel. De dubbele deur naar haar eetkamer met zicht op de majestueuze bergen was dicht. Ze liep rechtdoor naar de derde deur en ging haar slaapkamer in. Twee grote kleerkasten, een toilettafel met stoel en een enorm hemelbed moesten haar voortaan het gevoel geven dat ze hier thuis was. Ze vroeg zich af of ze de villa ooit nog zou terugzien.

Yfe liep naar het raam en keek naar de zachte, rode gloed voorbij de bergen. In de kuststreek was er meestal geen bewolking en de zon was aan het ondergaan. Huiverend dacht ze aan het bloed dat van overzee naar haar op zoek zou gaan. Ze zuchtte. Het kon toch niet dat ze nu alles moest opgeven waar ze zo lang voor gewerkt had? Maar voorlopig was ze veilig. Dit huis stond hoog in de bergen en bovendien bevonden haar vertrekken zich op de hoogste verdieping. Het was misschien idioot, maar dat laatste gaf haar toch een extra gevoel van veiligheid.

12.

Miko stapte *De Drie Vaten* binnen. De waard knikte hem toe. Het was niet de eerste keer dat de man uit Kraukar hier kwam.

Miko ging aan een tafel zitten en knikte dankbaar terwijl hij de kroes bier aanpakte die de waard hem bracht. Hij pakte de kruik met twee handen vast en hield hem een tijd voor zijn mond voor hij dronk, het teken van de boodschappers. Het duurde niet lang voor iemand bij hem aan tafel kwam zitten.

'Ik moet de leiders spreken,' zei Miko zacht.

'Ik laat iemand halen,' antwoordde de man.

'Geen tijd. Het moet snel gaan. Zeg me waar ik naartoe moet om hen te spreken.'

'Weinigen weten waar de vergaderingen plaatsvinden.'

'Er staan ingrijpende dingen te gebeuren. Wil jij er verantwoordelijk voor zijn dat de Koningsgezinden te laat komen?' vroeg Miko scherp.

De man schrok en dacht na. De normale procedure was dat boodschappers in de herberg bleven wachten tot iemand van de vergadering naar hier kwam. Maar de stad gonsde van de geruchten en als deze boodschapper gelijk had, wilde hij niet de oorzaak zijn van een gemiste kans. Hij nam een beslissing en wenkte Kerr. De jongen kwam erbij zitten.

'Breng deze boodschapper naar het huis,' zei hij. 'Je weet waar het is.'

Kerr knikte, blij dat hij voor de tweede keer in korte tijd een belangrijke opdracht kreeg. Hij gebaarde Miko hem te volgen en liep langs de achterdeur de herberg uit. Hij zou dezelfde weg nemen die hij met Kirsha had gevolgd. Dat was het veiligste.

Kirsha stond in gedachten verzonken bij de plek waar Stanis begraven lag. Ze keek op toen Kerr met een vreemdeling aankwam. Snel liep ze naar het huis.

'Storm! Breng je zusje naar boven. Vlug!'

Ze bleef in de deuropening staan en probeerde haar zenuwen te verbergen. Hoe haalde Kerr het in zijn hoofd om iemand naar haar huis te loodsen? Ze had de vreemdeling nog nooit gezien.

'Vrees niet,' zei Miko. De gespannen blik in haar ogen was hem niet ontgaan. 'Ik kom van Kraukar. Gregor stuurt me.'

Kirsha ontspande een beetje, maar ze bleef waakzaam.

'Waar is de kroon?' vroeg ze.

'Meegevoerd op de golven,' antwoordde Miko zonder aarzeling.

Kirsha keek nog even om zich heen om zich ervan te vergewissen dat niemand het tweetal had gevolgd en wenkte hen toen naar binnen. De vreemdeling kende niet alleen Gregor, maar ook het wachtwoord. Ze knikte naar Storm, die in de keuken was komen staan. Alles was in orde. Ze bood de twee mannen thee aan.

'Ik wil de vergadering spreken,' zei Miko.

'Het is niet evident iedereen zomaar meteen bij elkaar te krijgen,' zei Kirsha. 'Ik zal zien wat ik kan doen. Storm, loop jij even langs Léon en langs Melvin. Misschien vind je Brentak ook wel thuis. Haast je.'

Meer aanmoediging had Storm niet nodig. Als hij iets voor de Koningsgezinden kon doen, was hij er als de kippen bij. Hij kon niet wachten tot hij oud genoeg zou zijn om tot de vergadering toe te treden, ook al wilde zijn moeder hem het liefst overal zoveel mogelijk buiten houden.

'Vergaderen de leiders altijd in uw huis?' vroeg Miko.

'Waarom vraag je dat?'

'Het lijkt me vreemd dat ze dat niet in het huis van een van hen doen.'

'Dat doen ze wel,' antwoordde Kirsha gepikeerd. Het stoorde haar dat haar bezoeker voetstoots aannam dat een vrouw geen belangrijke rol kon vervullen in het verzet.

'Het spijt me,' zei Miko snel. 'Ik wist niet… ik bedoel…'

'Ik was erbij toen het verzet werd opgericht,' zei Kirsha. 'De Koningsgezinden hebben meer nodig dan mannelijke kracht alleen.'

Miko keek beschaamd naar zijn kop thee en verontschuldigde zich opnieuw.

'Al goed,' zei ze. 'Hoe gaat het met Gregor?'

Terwijl ze wachtten tot de anderen er waren, beperkten ze zich tot wat oppervlakkig geklets, hoewel dat Kirsha zwaar viel. Ze wilde weten wat Miko echt te vertellen had. Toen Kerr zijn thee op had, stuurde Kirsha hem terug naar de herberg. De vergadering was niet voor zijn oren bestemd.

Melvin en Léon waren de enige twee die Storm thuis had gevonden. Met zijn vieren gingen ze rond de tafel zitten. Storm bleef ongemerkt in de keuken staan luisteren.

Miko gaf de vergadering een uitgebreid verslag van de opstand in Kraukar en van de plannen die daar gesmeed waren. Het grootste deel kwam overeen met wat ze zelf al hadden besproken toen duidelijk werd dat er iets serieus gaande was in Kraukar, maar de plannen om Kristallijn in te nemen waren nieuw. Het opwindendste nieuws was dat de strijdmacht met de krijgsvrouwen over wie in de geruchten gesproken was, inderdaad van overzee kwam. Ze waren vastbesloten alle slaven op Zeneria te bevrijden.

'Wie is hun aanvoerder?' Kirsha keek Miko gespannen aan.

'Ze zijn met z'n tweeën. Een man en een vrouw.' Miko sprak dat laatste woord uit op een manier die duidelijk aangaf dat het feit dat een vrouw mee de opstand leidde hem had verrast.

'Hoe oud zijn ze?' vroeg Kirsha.

Miko dacht even na en zei toen: 'De vrouw, Lovennia, is de oudste van de twee. Ze moet minstens dertig zijn. Geen katje om zonder handschoenen aan te pakken, dat is wel duidelijk.'

De manier waarop Miko over vrouwen sprak, stoorde Kirsha. Hij leek niet erg veel respect te hebben voor haar geslacht.

'De man, Thom, is een stuk jonger, een jongen nog, eigenlijk. Volgens mij is hij niet veel ouder dan twintig.'

Kirsha's hart sloeg een tel over. 'Hoe ziet hij eruit?'

Miko schrok even van haar vraag, niet begrijpend wat dat voor belang had, maar hij antwoordde wel.

'Hij is groot, slank, maar ook gespierd. Hij is blond… en zijn ogen… voor iemand van zijn leeftijd heeft hij een heel vastberaden blik. Dat viel me wel op. En hij geeft blijk van natuurlijk leiderschap. Ik had de indruk dat iedereen hem respecteert. Vooral de bevrijde slaven lopen hoog met hem op. In de stad doen verhalen de ronde dat er dodelijke lichtstralen uit zijn handen komen.' Miko schudde lachend zijn hoofd.

Kirsha trok wit weg. Léon zag het en boog zich bezorgd naar haar toe.

'Gaat het wel, Kirsha? Je ziet zo bleek.'

'Het is niets,' zei ze, terwijl ze zich probeerde te herstellen. 'Het is belangrijk dat die bergpassen goed bewaakt worden. Er mag geen boodschapper doorkomen.'

Ze slaakte een diepe zucht en omklemde het tafelblad tot haar knokkels wit werden.

'Brentak is onderweg om te controleren of alle wachten op post zijn. We hebben in elke doorgang drie mannen gezet. Daar komt geen boodschapper door,' verzekerde Léon haar. 'We moeten hier de geruchtenmolen aan de gang houden. Mensen moeten weten dat de Skyrth onder vuur ligt. We moeten ze zover krijgen dat ze bereid zijn om op te staan tegen de Grootvorst.'

'Denk je dat dat een goed idee is?' vroeg Miko.

'En waarom niet?' Melvin was verbaasd over Miko's vraag, en als Melvin verbaasd was, kreeg hij een dreigende blik in zijn ogen. Gecombineerd met zijn indrukwekkende spierbundels was dat genoeg om de meeste mensen een stapje terug te doen zetten. Miko vormde daarop geen uitzondering. Hij ging letterlijk tegen de leuning van zijn stoel zitten terwijl hij zijn vraag verduidelijkte.

'Ik bedoel maar dat de stedelingen geen geoefende vechters zijn. Ze vormen geen partij voor het leger van de Grootvorst.'

'De slaven zijn ook geen strijders,' kwam Kirsha tussenbeide. 'Het gaat erom dat we eindelijk de kans krijgen om de Skyrth te destabiliseren. En ja, daar zullen offers voor nodig zijn.'

Miko zweeg verder.

Toen iedereen weg was, liep Kirsha naar boven. Ze zei tegen Siggie dat ze weer naar beneden mocht gaan en ging naar haar kamer. Jorund sliep. Sinds ze hem had bevrijd had hij nauwelijks gegeten. Het grootste deel van de tijd sliep hij. Zijn laatste krachten had hij gebruikt om uit het paleis weg te komen. Zijn lichaam was leeg. Leeg en gebroken.

Voorzichtig streek ze met haar vingers langs zijn wang. Zijn gezicht was nog altijd gezwollen. Zijn handen leken wel vormeloze klompjes vlees. Met veel zorg had ze haar broer gewassen, er zorg voor dragend dat ze hem niet nog meer pijn deed. Ze had een dokter laten komen die ze volledig vertrouwde en die had haar gerustgesteld. Er zou lange tijd overheen gaan, maar Jorund zou herstellen. Hij was jong en sterk en de beulen hadden hem geen fatale wonden toegebracht. Kirsha was zo opgelucht geweest, dat ze de opmerking dat hij heel wat blijvende littekens zou overhouden zelfs niet meer had gehoord. Ze had haar broer gered van het lot dat Harald, haar echtgenoot, drie jaar geleden had ondergaan omdat hij geweigerd had haar en de anderen te verraden. Op de een of andere manier voelde het alsof ze nu eindelijk, na al die tijd, ook iets voor Harald had gedaan. Het maakte haar niet gelukkig, maar het gaf haar wel een zekere rust. Ze zou ervoor zorgen dat Jorund niets meer overkwam.

'Er was hier net een boodschapper uit Kraukar, Jorund,' zei ze zacht. Jorund reageerde niet, maar dat hield haar niet tegen om verder te praten. 'Er is een opstand aan de gang. De slaven hebben de stad ingenomen en ze zijn van plan om verder op te rukken. Maar er is meer: ze krijgen hulp. Blijkbaar zijn Reikon en zijn leger verslagen. Soldaten van Cahaya, een van de eilanden, zijn met het slaveneiland naar hier gekomen om de Skyrth aan te vallen. Ik denk dat we echt hoop mogen koesteren. We krijgen misschien een kans om de Skyrth omver te werpen. Iets waar we tot nu toe alleen maar van durfden te dromen. En… ik durf het bijna niet te zeggen, maar… misschien is de zoon van koningin Leila erbij. Er doen geruchten de ronde dat hun aanvoerder met lichtstralen werpt. Als hij de Gave bezit, moet hij wel een koningszoon zijn.'

Jorund kreunde zachtjes. Kirsha wist niet of het van pijn was, of dat het betekende dat hij haar had gehoord. Ze streelde opnieuw zijn wang.

'Rust maar verder, lieve broer van me,' zei ze zacht. 'Ik waak over je.'

In de keuken stond ze peinzend door het raam naar de composthoop te kijken. In de bloedlijn van de koning werd de Gave doorgegeven van vader op zoon. Eeuwen geleden was de Gave een machtig wapen geweest. In de vele oorlogen die de koningen van Zeneria hadden uitgevochten was het vuur vaak een doorslaggevende factor geweest. Bij haar weten had Zenerius XV de Gave nooit gebruikt. Ze had hem in de nacht van zijn dood in ieder geval niet geholpen. Daarom vermoedde Kirsha dat hij in zijn slaap was verrast. Als het echt waar was dat de leider van de opstand, deze Thom, lichtstralen had afgevuurd, moest hij wel tot de bloedlijn behoren. Een traan rolde over Kirsha's wangen. Dit was waar ze al twintig jaar van droomde.

13.

In de overtuiging dat Zeneria het enige overblijvende land op de planeet was, had de Grootvorst zijn militaire dictatuur toegespitst op twee punten. Enerzijds moest de bevolking onder de knoet gehouden worden en anderzijds moesten het paleis en de hoofdstad te allen tijde beschermd worden tegen mogelijke problemen met de slaven. Samen met het slavenaantal groeide ook de nood aan extra troepen. Skyrth-leden met minder potentieel of leden van lagere komaf werden opgeleid in het grote militaire kamp bij Kristallijn. Uitbreiding van de garnizoenen stond op het programma. Aangezien er geen grenzen waren om te verdedigen – de afgescheurde eilandjes boezemden de Grootvorst echt geen angst in – waren de forten allemaal gebouwd tussen Zeneria-Stad en de overige steden. Die voorzorg speelde de opstandelingen nu in de kaart: het fort vormde een perfect bastion om het leger van de Skyrth tegen te houden.

Als een lang, zwart lint zagen de verdedigers van het fort het leger dichterbij komen. Het feit dat het fort pal op de weg lag van Kraukar naar Zeneria-Stad moest het makkelijker maken een aanval vanuit Kraukar af te slaan, maar het omgekeerde was natuurlijk ook waar. Er was geen enkele mogelijkheid om het fort te omzeilen. Wie Kraukar in wilde, moest voorbij de verdedigers.

Het leger zette een eerste aanvalsgolf in, maar de Cahayaanse boogschutters stonden klaar. Veertig bogen schoten een ware pijlenregen in de richting van de aanvallers. Soldaten die niet snel genoeg hun schild boven hun hoofd hieven, vielen schreeuwend op de grond. Toen de vijand zag hoe groot de tol was, werd al heel snel het sein tot terugtrekken gegeven. Gejuich steeg op vanaf de transen. De eerste aanval was afgeslagen.

Maar Lovennia was minder enthousiast. Thom had haar de verdediging van Kraukar toevertrouwd. Hoewel ze veel liever een meer aanvallende rol speelde, had ze de opdracht aanvaard. Maar het zag ernaar uit dat ze niet veel van haar moed en strijdkunst zou kunnen tonen. De bevelhebber van het Skyrth-leger was slim genoeg om te beseffen dat hij zijn soldaten een nutteloze dood injoeg als hij ze zich te pletter liet lopen tegen de stugge verdediging. Maar voor Lovennia gold hetzelfde: een uitval zou even roekeloos zijn. Bovendien had ze daar te weinig mensen voor. Ze vroeg zich af wie wie nu in de tang had.

In Farral meerden de twee schepen met opstandelingen en Cahayanen aan. Thom begaf zich met zijn secties naar het fort, terwijl Jari zich met zijn krijgsmacht naar de mijnen haastte. In de mijnen was de verrassing compleet. De weinige wachters wisten niet wat hun overkwam en al gauw was elke weerstand gebroken. Wie in de korte schermutseling niet gedood werd, gaf zich al snel over. De bevrijders werden op gejuich onthaald.

Toen het fort in zicht kwam, hoorde Thom hoorngeschal. Hij zag hoe een grote poort zich langzaam sloot. Boven de palissade weerkaatsten steeds meer helmen het licht van de zon.

'Dat wordt een harde dobber,' zei Kendra.

'En we moeten hier snel langs als we Hakstad willen verrassen,' zei Gregor. 'Zolang we het fort niet hebben ingenomen, kan Zeneria-Stad gemakkelijk versterkingen deze kant uit sturen. Ze zullen proberen een boodschapper naar Hakstad te zenden. Die moeten we onderscheppen. Stuur een patrouille het bos in.'

Kendra schreeuwde een bevel en een groep van twaalf splitste zich af om tussen de bomen te verdwijnen. De boogschutters schoven naar voren en schoten pijlen af naar de verdedigers op de transen. Hier en daar trof een pijl doel, maar de meeste verdedigers verschansten zich op tijd achter de houten omheining. Er werd teruggeschoten en de aanvallers repten zich tot buiten schootsafstand.

'We kunnen het fort bestormen,' zei Kendra. 'Als de bevrijde slaven zich straks bij ons voegen, zijn we in de meerderheid. Het zal wel veel levens kosten.'

'Dat is geen optie,' zei Thom beslist. 'Ik wil niet dat er meer slachtoffers vallen dan strikt noodzakelijk is. Jari moet met de helft van de bevrijde slaven meteen doorstoten naar Hakstad. Laat de andere helft naar ons komen om te helpen.'

'Wat ben je van plan?' vroeg Gregor.

'De poort en de omheining zijn van hout,' zei Thom. De trek om zijn mond was vastberaden.

Chyanna liep samen met Egon Steenhakker voorop. Lovennia had haar de leiding gegeven over de campagne naar het oosten. Haar opdracht was Argar te veroveren en dan op te rukken in de richting van Kristallijn. Egon zou dan voorop gaan met een zogenaamde gevangene. Ze had niet veel vertrouwen in de list die Miko Windsung bedacht had, maar ze had ook geen beter idee. Ze probeerde haar vrees dat het oosten onneembaar was te negeren. In oorlogstijd was angst de slechtste raadgever. Berg en Zuidstad hadden ze alvast zonder slag of stoot ingenomen. Als de Koningsgezinden in het binnenland hun werk deden, konden Kristallijn en Argar alvast niet gewaarschuwd worden.

De avond viel toen ze een klein dorpje naderden. De bewoners wisten niet wat hun overkwam toen honderden gewapende mannen en vrouwen hun dorp overspoelden. De herberg stelde zijn drie kamers en de stallen ter beschikking, maar Chyanna sloeg het aanbod vriendelijk af. Ze wilde niet het risico lopen dat er jaloezie in de rangen sloop. Ze besloot iedereen drie uur rust te gunnen, onder de blote hemel.

'Ik heb twee mensen nodig met elk twee schilden.'

Kendra keek Thom ongelovig aan. Ook Gregor probeerde hem van zijn plan af te brengen. 'Het is te gevaarlijk, Thom. Ze zullen jullie doorzeven.'

'Niet als de schilden goed opgehouden worden,' zei Thom. 'Geef me twee mensen die hun zenuwen de baas kunnen, Kendra.'

Kendra duidde twee strijdsters aan. De vrouwen flankeerden Thom met een schild in elke hand.

'Wat er ook gebeurt, hou jullie schilden in positie,' zei Thom toen ze vertrokken. 'Ik wil dat we hier alle drie heelhuids uitkomen.'

Zodra ze binnen het bereik van de vijandelijke boogschutters kwamen, hielden de strijdsters hun schilden omhoog. Ze liepen gebukt achter hun eigen schild terwijl ze met het andere schild Thom beschermden. De ronde, houten schilden waren met leer bekleed. Ze waren lang niet groot genoeg om hun volledige lichaam te bedekken en de meisjes moesten een beroep doen op al hun behendigheid om de pijlen op te vangen. Sommige pijlen ketsten af. Andere plantten zich trillend in de schilden, die na een tijd op speldenkussens begonnen te lijken. Thom ademde zwaar in en uit. In gedachten vroeg hij hulp aan Leila, zijn moeder. Nog nooit had hij de Gave bewust kunnen oproepen. Ze overkwam hem altijd, en dan nog alleen als hij zich helemaal in het nauw gedreven voelde. Waar de kristallen zich op dit eiland bevonden wist hij niet, maar ze waren er. Met alle concentratie die hij kon opbrengen, probeerde hij zich met die energie te verbinden. Met elke stap dat ze dichterbij kwamen, voelde hij zich wanhopiger worden. Er gebeurde niets. Het zweet dat in zijn handpalmen stond was het enige dat zich manifesteerde. Shia, het meisje rechts van hem, slaakte ineens een kreet van pijn. Een pijl had zich in haar dijbeen geboord. Ze zakte op haar knie, maar Thom greep haar vast en trok haar weer overeind.

'Bijt op je tanden, Shia. We moeten nog een beetje verder.'
De pijn verbijtend strompelde ze verder. De pijlen bleven hun om de oren suizen. Op vijftig passen van de poort bleven ze staan.

'Dit is ver genoeg,' zei Thom. Zijn stem klonk bedaard, maar de zenuwen gierden door zijn lichaam. 'Op mijn teken gaan jullie uit elkaar. Bescherm jullie lichaam.'

'Ze zullen u neerschieten.'

'Doe gewoon wat ik zeg. Op mijn teken,' herhaalde Thom.

Een pijl plantte zich vlak voor zijn voeten in de grond. Een andere vloog tussen twee schilden door en schampte zijn schouder. Automatisch greep Thom naar de plaats waar hij geraakt was. Zodra zijn vingertoppen met het bloed in aanraking kwamen, voelde hij het gebeuren. Zijn handpalmen begonnen te tintelen en een innerlijke hitte leek hem te willen verteren.

'Nu!' schreeuwde hij.

De strijdsters weken van zijn zij en lieten zich op hun knieën zakken met de schilden als bescherming voor zich uit. Thom strekte zijn armen met zijn handpalmen naar voren. Twee felle lichtstralen schoten naar voren en explodeerden tegen de poort, die onmiddellijk vuur vatte. Thom richtte zijn handen nu op de palissade, terwijl de verdedigers hem met open mond aanstaarden. Achter Thom schreeuwde Kendra haar mensen naar voren. Aangemoedigd door de magische krachten van hun aanvoerder renden de Cahyanen en de slaven brullend naar de brandende poort toe. Thom vuurde er opnieuw twee lichtstralen op af en de poort vloog uit haar hengsels. Versuft bleef Thom naar het brandende fort staan kijken. De ontlading was zo groot geweest dat zijn lichaam helemaal leeg leek. Overal renden schreeuwende strijders hem voorbij. De eersten bereikten de brandende doorgang en stormden ondanks de verschroeiende hitte met geheven zwaard naar binnen. Als een vloedgolf overspoelden de aanvallers het fort. Overal werd gehakt en gehouwen. Strijdkreten werden overstemd door het geschreeuw van gewonden. De hitte van het vuur leek de intensiteit van strijd nog groter te maken.

Thom kwam ontzet dichterbij. Niemand schoot nog op hem. De strijd speelde zich volledig binnen in het fort af. Verdoofd keek hij naar de vlammenzee die hij zelf had gecreëerd. Overal waar hij kwam, leek de dood hem te vergezellen. Hij hoopte maar dat dit het allemaal waard zou zijn.

Gregor had niet deelgenomen aan de aanval. Als aan de grond genageld had hij staan toekijken hoe Thom het fort met lichtstralen bestookte. Natuurlijk kende hij de oude verhalen over de Gave. Hoe vaak had Kirsha niet herhaald dat ze bleef hopen op de terugkeer van de koningin? Zou ze dan echt ontkomen zijn? Was deze jongeman haar zoon?

14.

Toen Miko Argar bereikte was de strijd al gestreden. Het garnizoensfort was volledig uitgebrand. De doden werden op karren geladen en naar een grote brandstapel gebracht om te voorkomen dat er ziektes uitbraken. Chyanna had beslist het kamp op te slaan in de barakken van het slavenkamp. Haar eerste doel had ze bereikt: zo snel mogelijk Argar innemen. Het garnizoen was op niets verdacht geweest en had weinig weerstand geboden. De verliezen aan de kant van de opstandelingen waren beperkt gebleven. Chyanna was vooral blij dat ze geen enkele strijdster had verloren. Vier mannen van Cahaya waren gesneuveld, de andere slachtoffers waren onder de slaven gevallen. Voor de vijand hadden ze geen genade getoond: het garnizoen was tot de laatste man afgeslacht. De volgende klus zou veel moeilijker zijn.

Miko vond Chyanna en Egon Steenhakker aan de rand van de stad. Ze keken uit over de weg naar Kristallijn.

'De route van Kraukar naar Zeneria-Stad is geblokkeerd,' zei Miko. 'Het leger van de Grootvorst heeft alles afgezet.'

'En Lovennia?'

'Zij houdt stand. Eigenlijk zit de situatie daar muurvast. Zolang Lovennia het fort in handen heeft, raakt de Skyrth geen stap dichter bij Kraukar.'

'Maar wij ook geen stap dichter bij Zeneria-Stad,' mompelde Egon.

'Inderdaad.'

'Hoe heb jij dan hiernaartoe kunnen komen?' vroeg Chyanna.

'Voor een man alleen is er altijd wel een manier om de blokkade te omzeilen. Ik ben dwars door het woud gereisd. Pas kort voor Berg ben ik teruggegaan naar de weg. Het kostte me nog heel wat moeite om de wachtposten daar te overtuigen dat ik bij het goede kamp hoor. Ze doen hun werk goed.'

Chyanna glimlachte trots. In elk onderdeel van de campagne speelden de Cahayanen een belangrijke rol. Hun kleine volk bepaalde de geschiedenis van dit grote land.

Miko deed verslag van zijn bezoek aan Kirsha.

'Het verzet sluit de bergpassen volledig af. Kristallijn kan op geen enkele manier gewaarschuwd worden.'

'Weet je dat zeker?' Chyanna was er niet helemaal gerust op. De gemakkelijke slag om Argar had het grootste deel van haar strijdmacht in een overwinningsroes gebracht, maar ze wist dat een groot, geoefend garnizoen hen zo van de kaart zou kunnen vegen, ook al had ze er met de bevrijde slaven uit Argar weer heel wat manschappen bij gekregen.

'Ze leken heel zeker van hun stuk,' beaamde Miko. 'We kunnen op hen vertrouwen.'

'Morgen vertrek ik naar Kristallijn,' zei Egon.

'Wie ga je als zogenaamde gevangene meenemen?'

'Rogar, een van mijn mannen,' zei Chyanna.

'Ik heb een beter idee: laat mij de plaats van Rogar innemen.'
Egon keek Miko verbaasd aan. 'Waarom zou je dat doen?'
'Ik ben al in Kristallijn geweest. Ik ken er de weg.'
'Ik ook.'
'Maar waarom zouden ze jou in het slavenkamp toelaten? Jij komt gewoon iemand afleveren en voor hen is de kous dan af. Jij hebt geen enkele reden om verder te komen dan de poort.'
Egon dacht na. Daar had Miko natuurlijk een punt. Rogar kende deze wereld niet en als Miko één kwaliteit had, dan was het wel dat hij het goed kon uitleggen. Om de slaven tot een opstand te bewegen, was hij waarschijnlijk het meest geschikt.
'Akkoord.'
Chyanna beet op haar tanden. Het zat haar niet lekker dat dit belangrijke deel van de missie uitgevoerd zou worden zonder een van haar eigen mensen.
'Neem twee gevangenen mee,' zei ze.
De twee mannen keken haar aan.
'Neem Rogar ook mee. Er was afgesproken dat er iemand van Cahaya zou meegaan.'
'Maar…'
'Ik heb mijn woord gegeven aan Lovennia.'
Egon merkte dat Chyanna onverzettelijk was en knikte. 'Goed dan. Rogar en Miko zullen mijn gevangenen zijn.'

'Enea?' vroeg Thom.
Jari schudde het hoofd. Hij had het garnizoen van Hakstad verslagen en de slaven bevrijd.

'Er waren daar niet veel vrouwen. Ze is er niet bij.'

Teleurgesteld beet Thom op zijn lip. Niet in Kraukar, niet hier in Farral en nu ook niet in Hakstad. Nergens was Enea te vinden. Het enige waar Thom blij om was, ondanks de teleurstelling, was dat de vrouwen die de lusten van de garnizoenssoldaten hadden moeten bevredigen, haar naam ook nog nooit hadden gehoord.

'Wie zoeken jullie?' vroeg Gregor.

'Enea, een meisje van ons eiland,' zei Thom. 'Een goede vriendin.'

'Is ze mooi?'

Thom keek Gregor verwonderd aan. 'Hoezo?'

'Er is een villa aan de rand van Zeneria-Stad. Speciaal geselecteerde meisjes worden daarnaartoe gebracht. Als ze mooi is, kan het zijn dat ze daar zit.'

'Wat bedoel je? Wat gebeurt daar dan?'

Gregor keek ongemakkelijk. 'Ze worden verhuurd aan mannen van de Skyrth.'

'Verhuurd?' vroeg Thom ongelovig. 'Om wat te doen?'

Hij kon het vreselijke antwoord al raden, maar verzette zich met al zijn macht tegen het beeld dat voor zijn ogen opdoemde.

'Ze worden gebruikt,' zei Gregor.

De klap kwam onverwacht. Met een dreun kwam Thoms vuist op de tafel terecht.

'We gaan meteen naar die villa. Jij brengt ons ernaartoe.'

'Bedaar, Thom,' zei Jari. 'We kunnen niet zomaar naar Zeneria-Stad.'

'Jari heeft gelijk,' zei Gregor. 'Waarschijnlijk zijn er al troepen op weg om te verhinderen dat Zeneria-Stad vanuit het noorden wordt aangevallen. Wil je hen onderweg ontmoeten en het uitvechten? Denk aan alle verliezen die we zouden lijden.'

Kendra zei niets. Ze had veel respect voor Thom en ze aanvaardde zijn leiderschap, maar ook zij besefte dat zijn emoties het nu overnamen van zijn gezond verstand.

Thom keek naar iedereen aan de tafel en merkte dat niemand hem volgde. Hij ademde blazend uit.

'Akkoord... natuurlijk. Maar als Enea daar is, moeten we haar bevrijden. We mogen haar niet in hun handen laten.'

'Dat spreekt vanzelf, maar...' begon Jari.

'Ik ga naar Zeneria-Stad.'

Een loden stilte volgde op Thoms woorden.

'Wat bedoel je?' vroeg Jari na een tijdje.

'Ik ga alleen. De troepen zitten vast. Uiteindelijk moeten we oprukken naar de hoofdstad, maar we moeten eerst weten hoe het met de anderen zit. Het kan weken duren voor we Zeneria-Stad inkomen. In die tijd kunnen ze met Enea doen wat ze willen.'

'Je weet niet eens of ze daar is.'

'Jij weet ook niet of ze daar niet is.'

'Thom, jij bent te belangrijk. Je mag jezelf niet in gevaar brengen,' zei Jari.

'En Enea? Is zij niet belangrijk? Telt ze niet meer mee nu je Alessi hebt?' riep Thom boos. 'Misschien vergeet jij snel, maar mijn hart doet dat niet.'

'Zo bedoel ik het helemaal niet, Thom. Maar je moet aan ons plan denken. Een overhaaste beslissing kan alles in de war sturen.'

Thom ademde trillend in en slaakte een lange zucht.

'Ik kan haar niet aan haar lot overlaten, Jari. Ik kan het niet,' zei hij zacht.

'Als ze echt in de villa is,' zei Gregor, 'dan is dat een van de veiligste plaatsen voor haar. Yfe, de meesteres, heeft enorm veel macht in Zeneria en zal niet toestaan dat iemand aan haar bezit komt.'

'Haar bezit?' riep Thom verontwaardigd uit.

Gregor haalde zijn schouders op in een machteloos gebaar.

'We moeten alles klaarmaken om een mogelijke aanval van de Skyrth af te slaan,' zei Kendra. 'Het fort heeft geen poort meer. We moeten voorbereid zijn.'

'Wij zijn het die moeten aanvallen,' protesteerde Thom.

'We moeten wachten op de slaven uit Kristallijn. Zij zullen onze troepenmacht veel en veel groter maken,' zei Gregor.

'Pas dan kunnen we ons finale plan opstellen,' viel Jari hem bij.

Thom liet zijn schouders zakken. Hij liet zijn verzet varen.

'Hoe gaan we de verdediging organiseren?' vroeg hij.

Iedereen haalde opgelucht adem. 'Er is al hout van Hakstad onderweg,' zei Kendra. 'Daar heb ik voor gezorgd. Daarmee kunnen we een nieuwe poort maken en een grote palissade over heel de weg.'

'We moeten een brede greppel graven voor de palissade,' zei Thom. 'Zodat ze er niet bij kunnen.'

Jari glimlachte opgelucht. Heel even was hij bang geweest dat hij zijn vriend niet zou kunnen overhalen om zich aan het plan te houden. Zijn emotionele opwelling had alles naar de bliksem kunnen helpen. Ook Jari vond het vreselijk dat ze Enea nog niet hadden gevonden. Maar hij wilde realistisch blijven; de kans dat Enea niet meer leefde was groter dan dat ze haar in die villa zouden vinden.

15.

Het herstel van het fort werd zonder dralen aangepakt. Ploegen wisselden elkaar af zodat er ook 's nachts doorgewerkt kon worden.

Thom en Jari stonden bij de haven. 'We moeten het hier ook beveiligen,' zei Thom. 'Ze kunnen met schepen vanuit zee aanvallen.'

'Ze kunnen nooit met veel tegelijk aan land komen. De kust is rotsachtig en de haven is maar klein. Er is weinig aanlegplaats.'

'Klopt, maar we kunnen beter op veilig spelen.'

'Ik bespreek het met Kendra,' zei Jari. 'Ik zal nu al wachtposten uitzetten en dan bekijken we wat we het beste kunnen doen.'

'Ga eerst wat slapen. Je bent doodmoe.'

'Doe ik. Maar ik zorg eerst voor de wachtposten.'

Thom bleef alleen achter. Hij moest het nu doen, voor de wachtposten aankwamen. Snel liep hij naar de kleine vissers-sloep die hij eerder al had opgemerkt. Hij klom aan boord en maakte het meertouw los. Zo stil mogelijk stak hij de riemen in het water en met een zacht klotsend geluid roeide hij de haven uit. Eenmaal op volle zee haalde hij de riemen in en hees hij het zeil. Het zat hem niet lekker dat hij zijn vriend bedroog, maar hij moest en zou Enea vinden. Hij negeerde de stem in zijn hoofd die hem op andere gedachten

probeerde te brengen, hem ertoe wilde bewegen rechtsomkeer te maken. Hij zou zijn plan doorzetten.

De zee was kalm en Thom voer zonder problemen tot aan de
monding van de rivier waaraan Zeneria-Stad lag. Zonder
aarzelen stuurde hij het bootje in de richting van de stad.
Het overal aanwezige licht in de haven verraste hem. Het
zou onmogelijk zijn om ongemerkt aan te meren.

Thom reefde het zeil en roeide naar de kant. Toen het bootje
vastliep in de slijkerige bodem klom hij eruit en stond knie-
hoog in het water, op een paar stappen van de donkere, met
gras begroeide oever. Hij waadde door het water en stapte in
het zompige gras. Voor hem lag de haven met al haar bedrijvigheid. Rechts van hem tekenden zich de donkere omtrekken
van een bos af. Tussen de bomen zou hij ongetwijfeld
verdwalen. De stad was zijn enige optie. Op zijn hoede liep
hij naar het licht toe en ondertussen kroop de schaduw van
de twijfel steeds dichterbij. Hij had impulsief gehandeld,
zonder plan. Hij had totaal geen idee hoe hij zijn zoektocht
moest beginnen. Jari zou razend zijn. En hij zou nog gelijk
hebben ook.

16.

Kirsha schrok wakker van gebons op de achterdeur. Geschrokken sloeg ze haar deken over haar schouders en ze liep naar de keuken. Sinds ze haar bed had afgestaan aan Jorund sliep ze beneden op kussens.

'Wie is daar?'

'Ik ben het, Léon.'

Haastig deed Kirsha de deur van het slot.

'Léon? Wat is er?'

'Snel, je moet hier weg.'

'Wat bedoel je?'

'Ik was in *De Drie Vaten* toen iemand me kwam waarschuwen. De Skyrth heeft een tip gekregen over de woonplaats van een van de leiders van de Koningsgezinden… een vrouw.'

Kirsha trok bleek weg.

'Iemand moet je verraden hebben.'

Kirsha dacht meteen aan de jonge kerel die Jorund en later ook Miko naar haar huis had gebracht.

'Heb je Kerr daar gezien?'

'Die jonge kerel? Nee, hij was er niet. Denk je dat hij…?'

Léons aarzeling duurde maar even. 'Dat zijn zorgen voor later. Jullie moeten hier weg.'

'Maar… Jorund… ik denk niet dat hij kan lopen.'

'Dan draag ik hem. Maak je kinderen wakker.'

Op dat moment kwam Storm de keuken in. Hij was wakker geworden van het lawaai.

'Haal je zus, Storm. En pak wat kleren. We moeten weg.'

Storm deed zijn mond open, maar Kirsha was hem voor.

'Er is geen tijd om vragen te stellen. We gaan naar Léon, nu meteen. Oom Jorund gaat mee.'

Kirsha en Léon volgden Storm naar boven.

'Jorund, we moeten hier weg. Léon zal je helpen.'

Jorund opende zijn ogen en keek zijn zus aan met een blik waaruit alleen zwakte sprak.

'De Skyrth zit ons op de hielen,' zei Kirsha kort.

Ze hielp Léon hem uit het bed te halen en wilde hem mee ondersteunen, maar Léon ging door zijn knieën en legde Jorund zonder meer over zijn schouders. Jorund kreunde zacht, te zwak om veel geluid te produceren en Léon liep met hem de trap af. Kirsha griste wat kleren bij elkaar, propte ze in een paar draagtassen en pakte de geldbuidel die ze onder haar matras had verstopt. Ze haastte zich naar de kamer van de kinderen. Daar stond Storm al klaar met zijn slaperige zusje aan de hand. Over zijn schouder hing een grote, linnen zak. Kirsha knikte goedkeurend.

'Kom,' was alles wat ze zei.

Ze deed niet de moeite de deur op slot te doen; de Skyrth zou haar huis toch binnenkomen. Als dieven in de nacht werd het gezelschap opgeslokt door het donker. De buurt lag er stil bij.

Lang duurde die rust niet meer, want korte tijd later kwamen twaalf soldaten met fakkels de straat ingelopen. Zes liepen er meteen achterom om een eventuele ontsnappingspoging te verijdelen. Een van de soldaten bonsde luid op de deur. 'Opendoen! Bevel van de Skyrth!'

Een kort knikje van de kapitein en een potige man zette zijn schouder tegen de deur. Hij knalde tegen het hout aan, maar er gebeurde niets. De man nam een grotere aanloop en ramde opnieuw met zijn schouder tegen de robuuste deur. Er kraakte iets en de man schreeuwde luid. Hij ging door zijn knieën terwijl hij met een van pijn verwrongen gezicht naar zijn schouder tastte. Op dat moment kwam een van de soldaten van achterom gelopen.

'De achterdeur is niet op slot, kapitein,' zei hij.

De kapitein vloekte. 'Jullie blijven hier,' beval hij. Hij liep mee achterom om het huis binnen te dringen. 'Doe de voordeur open en laat de anderen binnen,' riep hij terwijl hij de trap op stormde. Het duurde niet lang voor hij luid vloekend vaststelde dat de vogels gevlogen waren.

'De bedden zijn nog warm,' zei hij. 'Ze kunnen niet ver zijn. Kam de buurt uit!'

Hijgend en puffend onder zijn zware last liep Léon zijn huis voorbij.

'Wat doe je?' vroeg Kirsha.

'We weten niet wat ze allemaal weten. Als het inderdaad Kerr is die je heeft verraden, dan is de kans groot dat hij ook over mij heeft gesproken. Hij heeft me immers al gezien in de herberg. Ik breng jullie naar Yara, mijn nicht.'

Ze liepen enkele huizenblokken verder, sloegen een smal steegje in en daarna links een pad dat langs de achterkant van een huizenrij liep. Léon duwde een poortje bij een van de huizen open, liep langs een paar schuurtjes en tikte op de achterdeur. Dat moest hij een paar keer herhalen voor er reactie kwam, maar hij durfde niet veel lawaai te maken uit angst de aandacht van de buren te trekken.

Yara was een stuk jonger dan Kirsha. Hoewel ze net uit haar slaap was gewekt, was haar schoonheid onmiskenbaar. Haar donkere, krullende haren staken opstandig alle kanten uit. Net als Kirsha had ze haar man verloren aan de wreedheden van de Skyrth. Léon had dan ook maar een half woord nodig om haar te overtuigen de vier nachtelijke gasten onderdak te verschaffen.

'Kom mee,' zei ze.

Ze ging hen voor naar de schuur die het dichtst bij het huis stond. De olielamp ontstak ze pas toen iedereen binnen was. Ze duwde twee balen stro opzij en trok aan een ring in de grond. Een luik ging open. Léon liet Jorund behoedzaam van zijn schouders glijden.

'Het is wat krap, maar wel veilig,' zei Yara. 'Als ze een razzia houden in de buurt, vinden ze jullie niet. Wanneer de kust weer veilig is, kunnen jullie in huis komen.'

Léon sprong in de opening. Heel diep was het niet, want hij stak er nog met zijn hoofd bovenuit. Met de hulp van Storm liet Kirsha haar klaaglijk kreunende broer zakken. Daarna was het de beurt aan haarzelf en haar kinderen om naar beneden te gaan.

'Het zal donker zijn, maar zodra ik kan, haal ik jullie hieruit,' zei Yara terwijl ze het luik boven hen dicht deed.

Ze legde wat stro op het gat en Léon legde de twee strobalen terug op hun plaats. Niets wees erop dat hier een schuilplaats was. Léon omhelsde haar en vertrok. Hij moest de anderen waarschuwen.

'Mama, ik ben bang,' fluisterde Siggie.

Kirsha trok haar tegen zich aan. Met haar andere hand streelde ze het haar van Jorund, die was opgehouden met kreunen. Ze begroef haar gezicht in het haar van haar dochter.

'Ik weet het, liefje. Maar het komt allemaal in orde. Yara is een lieve vrouw. Zij zal ons helpen.'

'Komen ze ons halen?'

'Yara heeft ervoor gezorgd dat niemand ons kan vinden. We moeten gewoon heel stil zijn.'

Siggie knikte ernstig, hoewel het zo donker was dat niemand het kon zien. Met zijn vieren wachtten ze gespannen af in de inktzwarte duisternis. Het enige wat ze hoorden, was hun eigen hartslag.

De soldaten van de Skyrth doorzochten de buurt tot het licht werd. Mensen werden uit hun bed getrommeld en verplicht hun huis te laten doorzoeken. Waar niemand opendeed, werd de deur ingebeukt of een raam ingeslagen. Ook Léons huis onderging hetzelfde lot, maar net als in de andere huizen vingen de soldaten bot.

De straat waar Yara's huis stond, was de laatste die ze aandeden. Yara bibberde op haar benen toen ze de deur opendeed.

'Ja?' vroeg ze zo onschuldig mogelijk.

Ze werd onzacht opzij geduwd en drie soldaten liepen haar huis in. De kapitein kwam voor haar staan, zijn gezicht vlak bij het hare.

'Waar zijn ze?'

Yara probeerde het beven van haar stem te onderdrukken. 'Wie bedoelt u? Ik woon hier alleen.'

'De voortvluchtigen. Een vrouw, een gewonde man, twee kinderen.'

'Ik weet niet waar u het over hebt. Mijn man is dood. Ik woon hier alleen. U mag mijn huis doorzoeken.'

'Je weet toch waar je terechtkomt als ik merk dat je liegt?' blafte de kapitein haar toe. 'De onthoofder.'

Dat laatste woord sprak hij uit met zo veel venijn dat het speeksel in Yara's gezicht vloog. Ze durfde het niet weg te vegen. De soldaten kamden het huis van boven tot onder uit, zonder iets te vinden. Een van hen liep langs de achterdeur naar buiten en trok de deur van de schuur open. Met zijn brandende fakkel ging hij de schuur vol stro binnen. Hij keek rond in de kleine ruimte en kwam al snel tot de conclusie dat er geen plaats was voor vier personen om zich te verschuilen. Net toen hij naar buiten wilde gaan, kwam een tweede soldaat binnen.

'Ik heb de andere schuur onderzocht. Een schaap en kippen. En hier?'

'Niets.'

'Weet je het zeker?'

'Kijk zelf. Je kunt hier nog geen varken verstoppen.'

'En dat stro?'

'Denk je misschien dat ze onder die balen zitten?'

Onder het luik hield Kirsha haar hand voor Siggies mond. Storm deed hetzelfde bij zijn oom. Hun harten bonsden zo luid dat ze bang waren dat het tot in de schuur te horen was. Als de soldaten het luik ontdekten, waren ze reddeloos verloren. Siggie begon in schokjes te ademen. 'Sst,' deed Kirsha, terwijl ze de haren van haar dochter streelde.

Boven hen stak een van de soldaten met zijn zwaard in de strobalen. Een van de balen verschoof en een stukje van de ring kwam onder het stro uit. De soldaat zette zijn voet er pal naast.

'Verloren moeite. Laat maar, ze zijn hier niet.'

Een ogenblik later sloeg de deur met een luide bons dicht en daarna werd het weer stil in de schuur. In de benepen onderaardse schuilplaats werd opgelucht ademgehaald.

17.

Zo onopvallend mogelijk liep Thom de kade op. Hij gaf zijn ogen goed de kost. Niemand leek hem op te merken. Soldaten liepen af en aan en er werden constant bevelen heen en weer geschreeuwd. Tot zijn schrik zag hij dat grote schepen werden opgetuigd. Op het dek liepen niet alleen matrozen. Ook soldaten in volledige wapenrusting liepen zenuwachtig heen en weer. Het was duidelijk dat er iets te gebeuren stond.

Om Farral maakte Thom zich niet veel zorgen: daar zouden de Zeneriaanse troepen weinig kunnen uitrichten. Met een klein aantal mensen was die haven perfect verdedigbaar. Maar Kraukar was een ander verhaal. De haven was veel groter en bovendien was er de plek die ze zelf hadden gebruikt om aan land te gaan. De verdediging van het kamp bij de mijnen hadden ze helemaal niet opgenomen in hun plannen. En dan was er nog het kunsteiland. Wat als de schepen daarnaartoe zouden varen en de manschappen van Reikon zouden bevrijden? Lovennia had er immers maar een kleine groep achtergelaten om de gevangenen te bewaken. Thom knarsetandde van onmacht. Er was geen enkele manier waarop hij Lovennia kon waarschuwen voor het dreigende gevaar. Ze zou de handen vol hebben aan het tegenhouden van de troepen die over land uit Zeneria kwamen. Die zouden ongetwijfeld al bij het fort zijn.

Om zo vlug mogelijk bij de soldaten weg te zijn, sloeg hij een donkere steeg tussen twee herbergen in. Het voordeel van de opwinding die overal heerste, was dat hij onopgemerkt door de stad kon lopen. Door de mobilisatie van de troepen was het in de stad bijna even druk als overdag.

Toen hij weer een hoek omsloeg, zag hij vanuit zijn ooghoek iets bewegen achter zich. Twee mannen volgden hem op korte afstand. Thom wilde snel verder rennen, toen hij de weg versperd zag door twee andere, met messen gewapende mannen. In het vage licht onderscheidde hij onverzorgde, gemeen grijnzende tronies. Blijkbaar waren niet alleen de soldaten volop in actie, dacht hij. Overvallers maakten van de chaos gebruik om hun slag te slaan.

Razendsnel overwoog Thom zijn opties. De twee achtervolgers kwamen snel dichterbij; de terugweg was afgesloten. Hij zou moeten vechten. Om geen argwaan te wekken had hij zijn zwaard in het bootje achtergelaten. Hij had alleen een dolk in zijn gordel. Zijn hand omklemde het gevest. Hij zou zijn huid duur verkopen.

'Ik heb geen geld, als dat is wat jullie willen.'

'Daar trappen we niet in, kerel. Dat zeggen ze allemaal. Wedden dat er iets rinkelt als we jou uitschudden?' antwoordde een van de kerels voor hem.

De andere schurk lachte om de opmerking. Thom hield de twee mannen in de gaten en voelde de andere twee langs achteren naderen. Hij liet het gevest van de dolk los toen hij de tinteling in zijn handen voelde. Zonder nadenken richtte hij zijn handpalmen op de man die net had gesproken. Een verblindende lichtflits schoot uit zijn handen en trof de man midden in zijn maag. De boef schreeuwde het uit en werd met grote kracht achteruit geworpen. De anderen bleven perplex staan. Daarvan maakte Thom gebruik om het op een lopen te zetten. Hij liep langs de aanvaller die nog op zijn benen stond en nu bang bescherming zocht tegen de muur. Hij sprong over de man die op de grond lag. De geur van verbrand vlees drong in zijn neusgaten. Achterom kijken deed hij niet en in geen tijd was hij uit het zicht van de overvallers verdwenen.

Een paar straten verder bleef hij staan uithijgen. Hij prees zich gelukkig dat dit in een achterafsteegje was gebeurd. Op deze manier zou hij meteen alle aandacht naar zich toe trekken. Onderzoekend bekeek hij zijn handpalmen. Er was niets te zien. Wat ze ook aanrichtte, de Gave bracht hemzelf geen schade toe. Deze keer was hij er ook niet moe van geworden. Bovendien was het vrij snel gebeurd. Blijkbaar zette angst of paniek de Gave in werking. Als hij dat gevoel zelf kon oproepen, zou hij dit wapen kunnen controleren.

Hij liep verder door een wirwar van steegjes en kwam uit op een bredere weg die naar een plein liep. Daar bleef hij als aan de grond genageld staan. Het bouwwerk voor hem was in niets te vergelijken met iets wat hij ooit had gezien. Het werd beschenen door verborgen lichtbronnen. Ruiters en karren reden af en aan. De houten wielen ratelden over de stenen toegangsweg naar de poort. Dit moest het paleis zijn. In zijn dromen had Leila gezegd dat het zijn rechtmatige huis was. De haren op zijn armen gingen rechtop staan toen hij zich voorstelde dat hij hier woonde.

Met enige moeite keek hij weg van het magnifieke bouwwerk. Hij was hier om Enea te zoeken. De dromen waren zinloos als zij niet veilig was. Hij liep verder terwijl hij zich wanhopig afvroeg wat hij moest doen. Hij had zich geen voorstelling kunnen maken van Zeneria-Stad, maar het was hier veel groter dan hij ooit had kunnen vermoeden. Hij kreeg het gevoel dat hij hier dagenlang zou kunnen rondlopen zonder de villa te vinden waar Enea zat opgesloten. Als ze daar al was. Maar in zijn hoofd was er iets geknapt toen Gregor de mogelijkheid uitsprak. Ineens was hij ervan overtuigd geweest dat Enea daar inderdaad naartoe was gebracht. Bij het idee alleen al van wat ze daar allemaal moest ondergaan, werd hij helemaal wild. Als het moest was hij bereid de hele stad plat te branden om haar te vinden.

Zijn handen begonnen weer te tintelen en een withete woede kwam in hem naar boven. Thom drukte zich met zijn rug tegen de muur van een herberg en legde zijn handpalmen tegen de koele stenen. Zwaar ademend bleef hij staan, zijn ogen gesloten. Hij moest zichzelf in de hand houden, ervoor zorgen dat de Gave niet met hem op de loop ging. Niet alleen om ze te gebruiken moest hij die kracht leren te beheersen, ook om vanbinnen niet verteerd te worden door de onmetelijke energie.

'Te veel gedronken, vriend? Zie je beestjes?'

Thom opende zijn ogen en staarde in de levendige blik van een jonge man die hem onderzoekend aankeek.

'Gaat het wel?'

Thom knikte.

'Zo zie je er anders niet uit,' lachte de man. 'Of ben je op de loop voor de soldaten?' vroeg hij plotseling argwanend.

'Ik ben net overvallen,' zei Thom naar waarheid.

'Laat me raden. Je liep alleen door de steegjes. Tja, dat doe je beter niet op dit uur van de nacht. Dat gespuis komt uit hun hol als vleermuizen zodra het helemaal donker is. En nu het garnizoen in rep en roer staat al helemaal. Ze hebben goed door dat geen enkele soldaat de tijd heeft om zich met een simpele rover te bemoeien. Heb je moeten vechten?'

Thom schudde zijn hoofd. 'Ik kon ontkomen.'

'Gelukkig voor jou. Je hebt een goede kruik bier verdiend, kerel. Ga mee naar binnen. Ik trakteer.'

Thom aarzelde. Hij had helemaal geen tijd om iets te drinken met een wildvreemde. Anderzijds kon hij van hem misschien te weten komen waar die villa was. Hij besloot het erop te wagen. Hij knikte en volgde de jongeman naar binnen.

'Ik ben Kjell.'

Thom drukte de uitgestoken hand. 'Thom,' zei hij.

'Kom, we gaan hier zitten,' zei Kjell terwijl hij lachend twee opgestoken vingers aan een dienster liet zien.

Het meisje liep naar de toog en kwam snel terug met twee

tot de rand met bier gevulde kroezen. Kjell pakte haar lachend bij de heupen en trok haar naar zich toe.

'Dat is nou waarom ik hier zo graag kom, Alexi. Jij begrijpt altijd onmiddellijk wat ik wil.'

Hij gaf haar een klinkende zoen en liet haar los. Alexi liep heupwiegend weg. Ze wist inderdaad maar al te goed wat haar klanten wilden.

'Gezondheid, Thom. Op onverwachte ontmoetingen.'

Thom klonk mee en zette de kroes aan zijn lippen.

'Laat me raden. Volgens mij kom jij hier niet vandaan,' begon Kjell.

Nu moest Thom voorzichtig zijn. De minste verspreking kon hem verraden.

'Klopt, ik kom uit Kraukar.'

Kjell sperde zijn ogen wijd open.

'Kraukar? Hoe lang ben je hier al?'

'Een paar dagen.'

'Dan ben je maar net op tijd weggeraakt. Ze zeggen dat de stad is ingenomen door rebellen. De mijnslaven zijn in opstand gekomen. Het garnizoen zou uitgeroeid zijn.'

'Ik heb erover gehoord. Ik was inderdaad net op tijd weg.'

'Heb je helemaal niets gemerkt?'

Thom schudde zijn hoofd.

'Goh, stel je voor, man. Voor je het weet zit je midden in een opstand in een brandende stad. Soldaat of niet, het had je je leven kunnen kosten.'

Thom knikte en nam nog een slok, niet goed wetend wat hij moest zeggen. Kjell bleek gelukkig een praatvaar.

'In ieder geval zit de schrik er hier goed in, hoor. De Grootvorst heeft troepen gestuurd naar Kraukar en ook naar Farral zijn twee regimenten onderweg om te verhinderen dat de opstand zich tot daar uitbreidt. Beetje moeilijk voor te stellen, want om in Farral te komen, moet je voorbij Zeneria-Stad. Tenzij je over zee gaat natuurlijk, maar ik kan me niet voorstellen dat die slaven weten hoe je met een sloep vaart, laat staan hoe je een schip bestuurt. Slaaf word je niet omdat je veel kwaliteiten hebt, neem dat maar van me aan. Alexi!'

Weer stak Kjell twee vingers in de lucht, hoewel zijn beker nog halfvol was. Thom gebaarde dat hij niet hoefde, maar Kjell wuifde zijn bezwaar weg.

'Ik weet dat je net overvallen bent en niet kunt betalen. Maar maak je geen zorgen. De Skyrth betaalt goed,' lachte hij.

Bij het horen van die naam kreeg Thom een schok. Alexi zette de twee nieuwe kroezen neer en Kjell trok haar op zijn schoot. Hij tastte gulzig naar een van haar borsten. Alexi duwde zijn hand lachend maar beslist weg. 'Niet zonder te betalen, lieverd,' zei ze.

Ze maakte zich los uit zijn greep en liep weg. Ze wiegde nog eens extra uitdagend met haar heupen.

'Een geweldig kind, die Alexi,' zei Kjell. 'Niet de beste, maar voor haar prijs echt wel de moeite.'

'Je bent lid van de Skyrth?' vroeg Thom voorzichtig.

'En trots ook!'

Kjell hief lachend zijn eerste beker op en dronk hem leeg.

'Als je vooruit wilt op Zeneria is dat de beste en enige optie. Wat doe jij?'

Thom aarzelde maar heel even. 'Visser,' zei hij. 'Ik jaag op krabben.'

'Op krabben, verdorie? Hoe doe je dat?'

'Met een werpspies.'

'Je rijgt die ondingen aan een speer? Echt waar? En wat brengt je hier? Hier vind je die kleine monsters niet, hoor.'

Thom besloot het erop te wagen. Zijn gesprekspartner was blijkbaar heel loslippig. Hij wilde zijn vertrouwen helemaal winnen.

'Ik wil mijn geluk beproeven bij de Skyrth.'

Kjell dronk net weer van zijn bier en zette de beker met een klap neer. Het bier klotste over de rand en hij keek Thom doordringend aan. Thom beet op zijn tanden en spande zijn spieren. Dit dreigde verkeerd te lopen.

'En hoe dacht je dat te doen? Het paleis binnenstappen en zeggen "Hoi, ik ben Thom de krabbenvanger, ik wil lid worden"? Denk je echt dat je daarmee wegkomt?'

Kjells hand schoot bliksemsnel uit en hij sloeg Thom hard tegen de schouder. Toen begon hij te lachen.

'Je hebt wel lef, dat moet ik je nageven. Bij de Skyrth kom je niet zomaar, hoor.' Hij pakte zijn beker en nam opnieuw een flinke teug. 'Maar het leven is aan de durvers.'

'Wat moet ik doen?' vroeg Thom. Zijn gezicht stond ernstig.

'Je meent het echt, hè?'

Kjell keek Thom recht in de ogen. 'Ik mag verdoemd zijn,' lachte hij. 'Je meent het verdorie echt!' Hij dronk de kroes in één keer leeg, terwijl hij weer twee vingers in de lucht stak. Hijgend liet hij de lege beker op de tafel neerkomen. 'Alexi, schat! Vullen die handel!'

18.

'Hij is nergens te vinden,' zei Alessi. Ook Kendra en Gregor schudden het hoofd.

'Laat het niet waar zijn.' Jari keek naar de zee. De wachtposten die hij had uitgezet hadden niets gezien, maar er was een visserssloep verdwenen. Thom moest, onmiddellijk nadat ze uit elkaar waren gegaan, zijn weggevaren.

'Hij is op zoek naar Enea,' zei Jari. 'Ik had het moeten zien. Hij was veel te snel weer inschikkelijk. Zo is Thom niet.'

Vloekend stampte hij op de grond. Met deze waanzinnige actie kon Thom alles in de soep laten draaien.

'We moeten naar Lovennia. Zij moet weten wat er gebeurd is.'

'Bestaat er een kans dat hij teruggegaan is naar Kraukar?' vroeg Gregor.

'Vergeet dat maar. Ik verwed er alles om dat hij met dat bootje recht Zeneria-Stad binnenvaart. Hij wil op zoek naar die villa waar jij over sprak.'

'Maar hij weet toch helemaal niet waar dat is?'

'Alsof dat hem zou tegenhouden. Kendra, ik vertrek meteen met Gregor naar Kraukar. Jij neemt de leiding hier over. Verdedig jullie positie en blijf hier wachten tot je iets van ons hoort. De tang moet gesloten blijven, wat er ook gebeurt.'

'Laat me met je meegaan,' zei Alessi.

'Kendra heeft elke kracht nodig, Alessi. Het spijt me.' Jari nam haar in zijn armen en drukte haar stevig tegen zich aan. 'Zorg goed voor jezelf. We zien elkaar terug. Beloofd.'

Alessi kuste hem en verbeet haar tranen. In ijltempo werd een bootje klaargemaakt en even later voeren Jari en Gregor de haven uit.

De gunstige wind stuwde hen snel voort. Jari staarde zwijgend voor zich uit terwijl het bootje de golven kliefde. Hij kon niet geloven dat hij dit had laten gebeuren. Niet alleen het feit dat Thom oneerlijk was geweest zat hem dwars, maar vooral dat hij het niet had zien aankomen. Jarenlang had Abu hem getraind om zich te verlaten op de kracht van zijn voorhoofdchakra. Als hij de techniek had gebruikt zoals het hoorde, had hij ongetwijfeld kunnen weten dat Thom iets in zijn schild voerde. Hoe zou hij ooit in de voetsporen van zijn leermeester kunnen treden als hij niet eens in staat was de gedachten van zijn beste vriend te doorgronden? Schaamte en bezorgdheid om Thom vochten om de overhand te krijgen in de storm van emoties die in zijn binnenste woedde.

In het voorbijvaren van de riviermonding bij Zeneria-Stad keken ze uit naar vijandelijke schepen, maar gelukkig bleef alles rustig.

'Lovennia moet beducht zijn voor een aanval vanuit zee,' zei Gregor. 'Als ze de weg naar Kraukar en naar de oostelijke steden afsnijdt, zullen ze achter haar rug om aan land willen gaan. Hopelijk komen we niet te laat.'

Toen ze bij Kraukar aankwamen, merkten ze dat Lovennia dezelfde redenering had gevolgd. De haven werd bewaakt en een grote, met pek overgoten houtstapel stond klaar om als alarmsignaal in brand te worden gestoken. Ook op de kleine aanlegplaats bij de mijnen werd de wacht gehouden. Zodra ze aangemeerd hadden, haastten Jari en Gregor zich naar het fort om met Lovennia te overleggen.

'Hoezo, Thom is verdwenen? Is hij alleen naar de hoofdstad?' Lovennia wond zich vreselijk op, maar deed haar best haar oordeel voor zich te houden. Thom was gezonden door de God van het Licht, dat geloofde ze nog altijd. Maar ze had er heel wat moeite mee deze zet van hem te plaatsen en te aanvaarden. Ze zette het leven van haar mensen op het spel om hem te volgen in dit avontuur. Ze kon niet begrijpen dat hij nu actie ondernam zonder eerst te overleggen.

'Wat doen we nu?' vroeg Jari.

'We kunnen onze plannen niet wijzigen,' zei Lovennia. 'Op dit moment staan we niet sterk genoeg om Zeneria-Stad in te nemen. Een open aanval zou desastreuze gevolgen hebben. We zouden grote verliezen lijden. Ik vind dat we moeten wachten tot we versterking krijgen van de slaven uit het oosten.'

'Dat kan nog lang duren.'

'Inderdaad, maar het is de enige optie. Op dit moment zie ik geen mogelijkheid om Thom te helpen. Ik vrees dat hij er alleen voor staat.'

'En de Koningsgezinden?'

Gregor haalde zijn schouders op. 'Niemand weet wie Thom is.

Enerzijds zal hem dat de mogelijkheid bieden zich anoniem door de stad te bewegen, maar aan de andere kant betekent dat ook dat onze mensen hem niet kunnen helpen. Lovennia heeft gelijk: hij staat er alleen voor.'

Jari staarde naar het noorden. Daar, in Zeneria-Stad, was Thom nu op zoek naar Enea. Jari was boos. Hij en Thom hadden nooit geheimen gehad voor elkaar. Hij ging er prat op dat hij zijn vriend door en door kende en hij zou voor hem door het vuur gaan, maar als een klein kind had hij zich in de luren laten leggen. Toch wenste Jari dat hij daar was. Samen hadden ze hun eiland verlaten om naar Enea op zoek te gaan en nu had hij het gevoel dat hij Thom in de steek liet. Als Thom iets overkwam, was hij hen allebei kwijt. Jari klemde zijn tanden op elkaar en hij balde zijn vuisten. Hij moest ophouden met denken. Er was helemaal niets dat hij kon doen. In gedachten vroeg hij de Moedersteen om Thom te beschermen.

19.

Hoe meer Kjell dronk, hoe sneller hij bestelde. Thom probeerde zo weinig mogelijk te drinken. Dit was het moment noch de plaats om dronken te worden. Hij had zelfs al een beker omgestoten om hem niet te hoeven leegdrinken, maar Kjell had meteen een nieuwe besteld. De alcohol deed al Kjells remmingen verdwijnen.

'Om bij de Skyrth te komen zijn er drie opties,' legde hij uit. 'De eerste is veruit de gemakkelijkste: als je van rijke komaf bent, koop je jezelf gewoon in. Dan stellen ze nauwelijks vragen. Je kunt jezelf ook opgeven voor het leger. Je krijgt dan een militaire opleiding, kost en inwoning, plus een loon vanaf het begin. Niet slecht, maar op dit moment ben ik verdomd blij dat ik geen soldaat ben. Ik heb geen zin om mijn hachje te riskeren in een gevecht met een bende losgebroken slaven.'

Kjell keek Thom aan om te controleren of die nog volgde. Thom knikte. Zijn gezicht verried geen emoties.

'En dan is er nog optie drie. Dat is hoe ik erbij ben gekomen. Ik geef je de raad om het ook op die manier te proberen. De Skyrth heeft wetenschappers nodig. Mannen die bereid zijn alles over technologie te leren om zo te helpen aan de vooruitgang op Zeneria. Jonge mensen met verstand kunnen zich aanmelden om te gaan studeren. Als je slaagt voor een aantal toelatingsproeven kun je gaan studeren aan de School voor Hoge Technologie. Word je toegelaten, dan ben je automatisch lid van de Skyrth en bovendien maak je kans om door te groeien in de hiërarchie van de Skyrth. Naast kost en inwoning is het mooie van de zaak dat je nog betaald krijgt ook. Iedereen krijgt een basisloon dat wordt aangevuld met extra's, afhankelijk van je studieresultaten.'

'Je krijgt er geld voor?'

'Precies. Logisch ook, want de Skyrth heeft er alle belang bij dat de slimste koppen het meeste geld hebben.'

Thom trok vragend zijn wenkbrauwen op.

'Er wordt gewerkt aan een groot toekomstproject. Kinderen die gecontroleerd worden opgevoed. Wij maken de kinderen, een aangename verantwoordelijkheid als je het mij vraagt,' proestte Kjell, 'en ze worden opgevoed in speciale centra, ver van de bewoonde wereld. Het zijn die kinderen, onze kinderen, die later de Skyrth zullen leiden. Maar zo'n kind maak je niet zomaar. Nee, de moeder mag geen Zeneriaanse zijn. Uit de slavinnen van de andere eilanden worden de beste exemplaren geselecteerd om te bevruchten. Daardoor wordt het bloed van het kind krachtiger.'

Thom was nu een en al aandacht. Hij deed zijn best om zijn groeiende walging niet te laten blijken. Hij keek ernstig wanneer hij dacht dat Kjell dat verwachtte en lachte mee om zijn flauwe grappen.

'Eén vrouw heeft de touwtjes van heel dat handeltje in handen. Yfe heet ze. Ze is een schoonheid en een serpent. Na de Grootvorst is ze waarschijnlijk de rijkste inwoner van Zeneria. Haar villa bevat de mooiste meisjes die je je kunt inbeelden. Het is daar dat wij de toekomst van Zeneria maken. Maar om van hun diensten gebruik te maken heb je geld nodig. Veel geld. Dus, hoe beter je studieresultaten, hoe makkelijker je naar de villa kunt gaan.'

'Waar is die villa?'

'Hola, niet zo snel, kereltje. Ten eerste heb jij geen geld om de vrouwtjes daar te betalen en ten tweede kom je er niet in als je geen lid van de Skyrth bent.'

Kjell stopte met spreken en keek nadenkend naar een onzichtbare vlek op het plafond.

'Of wacht even, is ten tweede misschien ten eerste en ten eerste ten tweede? Zou ook kunnen, natuurlijk.' Hij lachte. 'Tja, dat bier brengt me soms wel in verwarring. Hoe dan ook, het is beter dat jij om te beginnen zorgt dat je een klein beetje geld hebt waarmee je al eens voor Alexi kunt betalen. Ook al woont ze niet in de villa, ze is best oké, hoor. Ik zoek haar warmte geregeld op tot ik weer geld genoeg gespaard heb om naar de villa te gaan.'

'Als het daar echt zo bijzonder is, kan ik niet wachten om ernaartoe te gaan.'

'Je bent echt wel een ambitieus kereltje, hè? Ik mag je wel. Luister, dit is wat ik ga doen.' Kjell pauzeerde weer en stak zijn wijsvinger bijna in Thoms oog. Zijn woorden vormde hij al minder vlot. 'Er is bij ons een plaats vrijgekomen. De dwaas... heel intelligent, dat wel. Hij was de slimste van ons allemaal, kreeg veel bonussen. Had alles om het te maken en dan verknalt hij het. Weg geld, weg toekomst... recht de kerker in. Een kwestie van tijd voor zijn stomme kop aan de onthoofder wordt gevoerd. Eigen schuld, maar och, ik mocht hem toch niet zo erg. Maakt niet uit... wat ik wil zeggen is dat er bij ons een plaats is vrijgekomen... of had ik dat al gezegd? Ik zal een goed woordje voor je doen. Dan mag je misschien op een eerste gesprek komen bij de raad. Als ze jou goedkeuren kun je de toelatingsproeven afleggen. Om slaapplaats hoef je dan niet verlegen te zitten... bij ons is er een plaats vrijgekomen.'

De drank begon Kjell serieus naar het hoofd te stijgen. 'Alexi! Breng ons nog eens iets! Een prima plan, toch? In het begin kun je eerst wat van Alexi en haar collega's genieten en intussen leg je centjes opzij om naar de echte vrouwtjes in de villa te gaan. Want, geloof me vrij,' Kjell boog zich met een samenzweerdersblik in zijn ogen naar Thom toe, 'er is een verschil, hoor. Maar dat mag ik natuurlijk niet hardop zeggen, want dan krijg ik Alexi tegen.'

Grijnzend leunde Kjell weer achterover. Thom had zijn buik vol van deze kerel. Hij moest hem zien kwijt te raken, voor zijn vrolijke dronkenschap in een kwade bui veranderde.

'Ik zou die villa wel eens willen zien,' zei hij voorzichtig.

Kjell ramde met zijn vuist op tafel.

'Wat heb ik nou net gezegd?' zei hij streng. Hij keek over zijn schouder en bracht zijn vinger naar zijn mond. 'Sst, Alexi mag niet horen dat we het over de villa hebben. Vrouwen zijn gevoelige zielen, weet je.' Hij leunde weer over de tafel. 'Het is wat ver, anders liep ik er nu even met je naartoe. Het is hier de hoofdstraat uit, dan naar rechts en dan... effe denken... de tweede... nee, de derde... nee, de vierde links. Een heel lange weg die je buiten de stad brengt. Veel te ver om op dit uur van de nacht nog te belopen. Trouwens, jij kunt er niets gaan doen. Had ik al gezegd dat je er niet in komt als je geen lid bent van de Skyrth?'

Thom onderdrukte een zucht. Hij had genoeg gehoord en wilde alleen maar zo snel mogelijk weg.

'Je hebt gelijk,' zei hij. 'Het is al laat. Ik moest maar eens gaan. Bedankt voor de traktatie.'

'Graag gedaan, kerel. En je weet, als je wilt, zal ik een goed woordje voor je doen. Je vindt me elke avond in deze herberg, of... nou ja, bijna elke avond toch.'

Thom stond op en wilde weglopen, maar Kjell greep hem bij de schouder.

'Niet zo vlug, kerel.'

Geschrokken bleef Thom staan.

'Heb jij wel een plek om te slapen?'

'Ja hoor, geen probleem. Bedankt.'

Thom haastte zich naar de deur voor Kjell de kans kreeg om verder te vragen. Hij was al buiten toen hij Alexi's naam weer hoorde roepen.

De eerste strepen blauw braken al door de donkere lucht toen Thom de villa bereikte. De grote, ijzeren poort was dicht en er stonden twee wachters. Langs die weg kon hij er onmogelijk in. Hij besloot langs de muur van het domein te lopen, maar nergens vond hij een plek waar hij eroverheen zou kunnen klimmen. Zich voordoen als klant kon hij ook niet. Hij zou meteen door de mand vallen. De vermoeidheid begon zwaar door te wegen en Thom besloot even de tijd te nemen om te rusten. Hij trok het bos in tot hij ver genoeg van de weg was om niet gevonden te worden, koos een beschut plekje en ging liggen. Het duurde niet lang voor hij in slaap viel.

20.

De Grootvorst liep de troonzaal in. Het geluid van zijn voetstappen weerklonk hol tegen de gewelven van de enorme zaal. Voor de troon bleef hij even staan voor hij ging zitten. Dit was zíjn plaats, zíjn troon. Hij was niet van plan die te laten afpakken door een stelletje opstandelingen, al dan niet met hulp van buitenaf. Jarenlang al wendde hij de oude profetie aan in zijn voordeel. Het was de perfecte manier om de eilanden op te sporen en te benaderen zonder dat iemand argwaan koesterde. Nu wilde een van die eilanden de rollen blijkbaar omdraaien. Wel, ze zouden kennismaken met de verpletterende vuist van de Skyrth. Twintig jaar geleden had hij deze troon veroverd op Zenerius XV en hij was niet van plan hem weer af te staan.

Een trippelend geluid wekte hem uit zijn overpeinzingen. Het was zijn raadsheer, Gerolf Breitsang, die zich op zijn korte beentjes naar de troon haastte.

'Ik heb nieuws, Grootvorst,' zei hij hijgend.

'Vertel.'

Breitsang slikte terwijl hij op adem probeerde te komen.

'Onze troepen hebben Kraukar bereikt. Ze zitten vast.'

'Wat bedoel je daarmee?'

'De opstandelingen hebben het garnizoensfort bezet en sluiten de doorgang af.'

'En wat dan nog? Laat het leger een doorgang forceren. Zo moeilijk kan dat niet zijn.'

'Dat hebben ze geprobeerd, Grootvorst. Maar de vijand heeft hen teruggedreven. Hun boogschutters zitten perfect verschanst en in het open gebied voor het fort vormen wij een gemakkelijk doelwit.'

De Grootvorst knarsetandde. 'De omgeving staat daar vol met bomen. Dat ze verdorie grote schilden maken om zich te beschermen terwijl ze oprukken. Moet ik dan alles zelf bedenken?'

'Daar zijn ze volop mee bezig, Grootvorst. De bevelhebber heeft daarvoor al opdracht gegeven.'

De Grootvorst leunde even achterover, tevreden dat blijkbaar toch niet iedereen die hij zijn vertrouwen schonk achterlijk was.

'En hoe zit het met de expeditie op zee?'

'Die is onderweg, zoals u bevolen had, Grootvorst. Ik vermoed dat het niet lang zal duren voor ze bij het kunsteiland zijn.'

'Ze weten dat ze onmiddellijk contact moeten opnemen?'

'De kapitein heeft duidelijke instructies gekregen, Grootvorst.'

'Goed zo. Ik wil eindelijk eens weten wat er met die verdomde Reikon is gebeurd. En is het garnizoen bij Kristallijn al verwittigd?'

Breitsang slikte. 'Er is een probleem met de reiscapsule, vrees ik. Maar…'

De Grootvorst greep de armleuningen van de troon beet en leunde dreigend naar voren. Breitsang deed automatisch een stap achteruit.

'Hoezo, een probleem? En ik ben daar niet van op de hoogte?'

'Bij het laatste onderhoud was alles nog in orde, Grootvorst. Maar volgens de technici is het contact tussen het aandrijf-kristal en het magnetisch veld onderbroken. Ze zoeken nu uit wat de oorzaak is.'

'Het is prioritair dat het tunnelsysteem te allen tijde gebruiks-klaar is. Hoe waardeloos zijn die technici?' riep de Grootvorst woedend.

'Het probleem moet echt nog maar net zijn opgedoken, Grootvorst,' probeerde Breitsang de technici te verdedigen. Hij vreesde dat de Grootvorst in zijn woede de executie van de mannen zou bevelen. Niet dat Gerolf Breitsang om hun leven gaf, maar hun terechtstelling zou het probleem met de reiscapsule niet oplossen.

'Zeg hun dat ze haast maken als ze willen blijven leven. Ik wil dat Kristallijn troepen langs de zuidkust naar Kraukar stuurt. We nemen die opstandelingen in de tang en verpletteren ze als mieren!'

'Er is nog een probleem, heer Grootvorst,' zei Breitsang, met moeite het beven van zijn stem bedwingend. 'De boodschap-per die we naar Farral hadden gestuurd, is teruggekomen. Ook daar is het garnizoen verslagen. Blijkbaar zijn de opstandelingen over zee gekomen.'

De Grootvorst sprong overeind en balde al zijn woede en frustratie samen in een luide schreeuw, die luid weergalmde in de lege troonzaal. Van schrik stapte Breitsang achteruit, struikelde en viel achterover.

'Lig daar niet te liggen, idioot! Roep de raad bijeen! Onmiddellijk!'
Nog voor Breitsang de kans kreeg overeind te komen, liep de
Grootvorst met grote passen de zaal uit. Dribbelend
probeerde de raadsheer hem bij te houden. Hij kon zich al
voorstellen hoe de sfeer tijdens de vergadering zou zijn.
Hij keek er niet naar uit.

21.

Enea was helemaal alleen in de badruimte. Ze lag net te rusten op een van de banken toen ze geschreeuw hoorde. Met een ruk ging ze rechtop zitten. Ze hoorde niets. Had ze zich maar wat verbeeld? Toen opnieuw, heel duidelijk, luider nog. Ze sloeg haar badjas om zich heen en liep naar de deur waarachter het geschreeuw vandaan kwam. Opnieuw hoorde ze het, gevolgd door een klaaglijk gekerm.

Dit was de deur naar de vleugel van de moeders. Daar mocht ze niet komen. Bij de volgende schreeuw liet ze al haar twijfels varen en opende de deur. Ze kwam in een lange gang met deuren aan de linkerkant. Bij de tweede deur bleef ze staan. Ze hoorde heel duidelijk iemand jammeren.

'Laat het voorbij zijn. Haal het eruit. Ik kan dit niet.'

'Volhouden, Maïté. Nog even. Het is er bijna.'

Enea duwde de deur voorzichtig open. Op dat moment begon Maïté opnieuw luid te schreeuwen.

'Ja, persen! Nu!' riep de vrouw die met haar rug naar Enea voorovergebogen tussen Maïtés opgetrokken benen stond.

Geschrokken door Maïtés van pijn vertrokken gezicht deinsde Enea achteruit. Ze had nog nooit een bevalling meegemaakt. Ze greep naar haar buik en draaide zich om.

'Wat doe jij hier? Jij mag hier helemaal niet zijn.'

De vrouw die had gesproken had de handen vol witte doeken, met daarbovenop een teil met warm water. Geschrokken duwde Enea de vrouw opzij en liep de gang in. De metalen teil kletterde op de grond en de vrouw schreeuwde. In paniek realiseerde Enea zich dat ze de verkeerde kant uitliep, maar ze durfde niet terug te keren. Ze duwde de deur op het einde van de gang open en kwam in een grote ruimte. Bij de haard zaten drie vrouwen bij elkaar. Een van hen had een baby aan de borst. Wat verderop stonden wiegjes. De vrouwen keken geschrokken op toen Enea door de ruimte holde. Ze duwde weer een deur open en kwam opnieuw in een gang terecht. Die kwam uit op een hal met een trap naar boven. Een andere trap liep naar beneden.

'Nee, alsjeblieft, doe het niet.'

Een vrouw huilde en stak haar armen uit in een smekend gebaar naar Talia. Die had een kleine bundel in haar armen. Twee bedienden hielden de huilende vrouw in bedwang.

'Laat me mijn kind houden, alsjeblieft,' smeekte de vrouw.

'Je kent de regels, Sumeyye,' zei Talia onbewogen. 'Je kind is drie maanden oud. Vanaf nu zorgt de Skyrth voor zijn opvoeding. Wees blij dat het een jongen is. Hij gaat een mooie toekomst tegemoet. Jij vertrekt morgen terug naar de villa. Als je geluk hebt, zien we je hier weer snel terug.'

Sumeyye viel op haar knieën, maar Talia liet zich niet vermurwen. Ze gaf de bundel aan een andere vrouw, die ermee naar beneden liep.

'Breng haar naar boven. Ze heeft wat tijd nodig om te bekomen,' zei Talia.

Enea stond perplex te kijken. Haar mond was opengevallen en haar ogen stonden wijd open. Toen kreeg Talia haar in de gaten.

'Enea! Wat doe jij hier?'

Enea staarde Talia sprakeloos aan. De indrukken waren te hevig om in één keer te verwerken. Ze zag hoe de snikkende Sumeyye overeind werd geholpen en naar boven werd gebracht terwijl ze aan één stuk door bleef jammeren.

'Hoe kom jij hier?' vroeg Talia opnieuw.

Op dat moment kwam de bediende die Enea opzij had geduwd aanlopen.

'Het spijt me, Talia,' hijgde ze. 'Ze stond daar ineens bij Maïté en ik had mijn handen vol. Ik kon niet meteen weg. De baby.'

Talia negeerde de bediende en richtte zich tot Enea. 'Jij komt met mij mee,' zei ze streng.

Ze pakte Enea ruw bij de arm. Ze liepen terug door de leefruimte en de gang, langs de deur waar Enea Maïté had gezien. De deur was nu dicht en het was stil. Talia klapte de deur van de badruimte fors dicht en duwde Enea op een van de rustbedden. Op dat moment kwamen Meryan en Suka binnen in hun badjas.

'Dit is geen goed moment,' zei Talia ijzig.

De twee meisjes begrepen de boodschap en sloten de deur achter zich.

'Wat was jij van plan?' Talia torende met haar armen gekruist boven Enea uit. Zo had Enea haar nog nooit gezien. De vurige, autoritaire blik in Talia's ogen deed haar even aan Yfe denken.

'Ik... ik hoorde iemand gillen,' zei Enea bedeesd.

'Dat geeft je nog niet het recht die deur door te gaan. Ik had je duidelijk gezegd dat je daar niet mag komen.'

'Maar ik...'

'Je zou Yfe toch al goed genoeg moeten kennen om te weten dat zij haar regels strikt opgevolgd wil zien. Wilde je misschien haar woede opwekken? Moet ik je eraan herinneren dat ze hier verblijft op dit moment?'

Enea kromp ineen alsof ze net een klap had gekregen. Ze had wel gehoord dat Yfe er was, maar ze had haar nog niet gezien. Ze had geen enkele behoefte de vrouw te ontmoeten en al zeker niet om opnieuw haar woede te moeten trotseren. Ook al was Enea veel waard met het kind in haar buik, Yfes gedrag was niet te voorspellen en Enea was al eerder getuige geweest van de gevolgen van haar woede. Onwillekeurig werd haar blik naar het stilstaande water in het bad gezogen. Ze slikte en boog het hoofd.

'Ik zal het hierbij laten. Wees blij dat Yfe niets gemerkt heeft,' zei Talia. 'Ga naar je kamer.'

Enea knikte en liep snel weg.

22.

Liggend op zijn buik bespiedde Thom de villa. Zijn hongerige maag rommelde, maar hij dacht alleen maar aan Enea, die daar misschien achter die hoge muur gevangenzat. Twee ruiters stopten bij de poort, die nu open stond. Ze wisselden enkele woorden met de wachters en werden binnengelaten. Thom beet op zijn lip. Hij had geen fantasie nodig om te weten wat die mannen, ongetwijfeld Skyrth-leden, kwamen doen. Een van hen misschien wel met Enea. Hij had al zijn zelfbeheersing nodig om zich niet met geweld toegang tot het domein te verschaffen. Hij besefte wel dat zo'n actie pure zelfmoord zou zijn. Hij was bereid te sterven voor Enea, maar het zou haar niet helpen.

Thom pijnigde zijn hersenen op zoek naar een oplossing. Uiteindelijk kwam hij tot de conclusie dat hij bereid moest zijn iemand in koelen bloede te vermoorden. Hij kneep zijn ogen dicht en beet op zijn tanden. Hij haatte de situatie waarin hij was verzeild geraakt. Waarom kon hij niet gewoon op zijn eiland zijn en tussen de rotsen op krabben jagen, uitkijkend naar het volgende overgangsritueel? Zijn leven was toen zo eenvoudig. Zijn enige strijd zou die met Jari geweest zijn om de gunsten van Enea. Hij zou zelfs bereid geweest zijn te verliezen, als dat haar keuze was.

Hij tastte naar zijn rug om zeker te zijn dat het mes nog op zijn plaats zat. Net toen hij achteruit wilde kruipen, zag hij een groep ruiters naderen. Ze droegen hetzelfde uniform als de wachters bij de poort. De wachters begroetten hen lachend en de ruiters reden naar binnen zonder te stoppen. Nauwelijks enkele tellen later kwam een van hen weer naar buiten. Hij spoorde zijn paard aan tot een lichte draf. Thom nam een beslissing. Hij trok zich terug tussen de bomen en liep parallel aan de weg in de richting waarin de ruiter was verdwenen. Eenmaal uit het zicht van de poortwachters zocht hij een schuilplaats dicht bij de weg.

Vanuit zijn schuilplaats zag Thom twee groepjes mannen voorbijkomen. Een te paard en een te voet. Ongetwijfeld klanten van de villa. Met een grimmige trek om zijn mond bleef hij wachten. Hij werd steeds vastberadener.

Zijn geduld werd beloond. Zijn spieren waren stram van het lange wachten, maar uiteindelijk kwam de ruiter in uniform terug in zicht. Thom raapte al zijn moed bij elkaar en sprong met zijn armen wijd open op de weg.

'Stop! Alstublieft!'

De ruiter trok aan de teugels en keek om zich heen. Tegelijkertijd trok hij zijn zwaard.

'Wat moet je?' vroeg hij bars.

'Mijn vriend, heer. Hij is onwel geworden. Ik dacht dat hij moest overgeven, maar hij is in elkaar gezakt. Daar ligt hij, tussen de struiken. Help ons, alstublieft.'

'Dan heeft je vriend pech, kerel,' zei de wachter. Hij bleef wantrouwig om zich heen kijken.

'We komen net van de villa, heer. Voor mij was het de eerste keer, maar mijn vriend Kjell is een vaste klant. Zonder uw hulp sterft hij misschien.'

De wachter werd onzeker. De naam zei hem niets, maar als daar inderdaad een vaste klant in nood was en hij deed niets om hem te helpen, zou hem dat wel eens zuur kunnen opbreken. Hij keek nog eens om zich heen en nam een beslissing. Zonder zijn zwaard los te laten steeg hij af. Hij hield de teugels van zijn paard vast en liep behoedzaam naar de struiken.

'Waar ligt hij?'

'Nog een beetje verder, heer,' zei Thom. Hij legde zijn hand om het heft van de dolk op zijn rug.

'Ik zie helemaal niets,' zei de wachter. Hij draaide zich naar Thom. 'Waag het niet om mij te…'

Het mes tegen zijn keel deed hem de rest van zijn zin inslikken.

'Laat dat zwaard vallen,' siste Thom. 'Nu!'

De wachter deed wat hem gezegd werd. 'Neem mijn paard. Geld heb ik niet.'

'Ik zoek een meisje. In de villa.'

'Daar kom je nooit in,' zei de wachter. Hij hield zijn hoofd achterover om te ontsnappen aan de punt van de dolk tegen de onderkant van zijn kin.

'Dat is mijn probleem,' zei Thom. 'Ik wil weten waar ze is.'

'Wachters zijn niet toegelaten in de vertrekken van de vrouwen. Ik weet niet…'

'Ze heeft donker haar. Haar naam is Enea.'

'Ik weet niet…'

'Het zou gezonder voor je zijn als je je wel iets herinnerde,' beet Thom hem toe. Om zijn woorden kracht bij te zetten duwde hij de mespunt nog wat harder tegen de onderkin.

'Ze is weg,' hijgde de wachter.

'Hoezo, weg?'

'We hebben haar weggebracht. Bevel van Yfe.'

'Waarnaartoe?'

'Het geboortehuis. Een huis hoog in de bergen.'

Thom schrok. Een golf van onzekerheid overviel hem.

'Wat bedoel je?' vroeg hij. 'Wat is dat geboortehuis?'

'Daar gaan de meisjes van de villa die zwanger zijn naartoe.'

Het begon Thom te duizelen en hij moest moeite doen om het trillen van zijn hand tegen te gaan. Dat voelde de wachter en hij probeerde onder de druk van het mes weg te komen. Thom schudde zijn tollende gedachten van zich af en drukte de mespunt zo hard tegen de onderkin van de wachter dat er een druppel bloed tevoorschijn kwam.

'Hoe ver?'

'Twee dagreizen.'

Thom dacht even na en nam toen een beslissing.

'Doe je gordel af.'

De wachter gehoorzaamde en Thom griste de riem uit zijn handen.

'Op de grond. Gezicht in het gras.'

'Alsjeblieft, spaar me,' smeekte de man.

Thom gespte de riem om en pakte het zwaard van de grond. Hij stak de dolk terug op zijn plaats en hield de punt van het zwaard tegen de nek van de man. Tergend langzaam voerde hij de druk op. De man begon te jammeren.

'Ik doe alles wat je wilt. Spaar me, alsjeblieft.'

'Stel je niet zo aan, kerel,' beet Thom hem toe. Dit was een rol die hij niet graag speelde, maar met zachtmoedigheid bereikte hij niets. 'Dus je doet alles wat ik wil?'

De wachter draaide zijn hoofd opzij om Thom te kunnen zien, maar meteen duwde Thom de zwaardpunt dieper in zijn huid.

'Heb ik gezegd dat je mocht opkijken?'

De man begroef zijn gezicht weer in het gras.

'Ik doe alles,' klonk het gesmoord.

'Sta op.'

Thom deed een stap achteruit en hield het zwaard op zijn slachtoffer gericht terwijl die aarzelend overeind kwam.

'Dat mes op je heup. Geef op. Rustig, met twee vingers.'

Met trillende hand deed de wachter wat Thom hem vroeg.

'En daar in je laars. Wilde je dat mes bijhouden om appels te schillen? Hou je me voor de gek, man?'

'Het… het spijt me. Ik vergat…'

'Bespaar me je uitleg. Geef hier. Langzaam.'

De wachter had het begrepen. Met twee trillende vingers pakte hij het mes uit zijn laars en stak het Thom toe.

Thom stopte het kleine mes tussen zijn riem. Toen pakte hij de teugels van het paard.

'Opstijgen.'

De man keek hem vragend aan.

'Opstijgen,' herhaalde Thom bars. Hij stak het zwaard in de schede en pakte zijn dolk weer. 'Eén verkeerde beweging en je gaat eraan. Wij gaan een reisje maken.'

Hij hees zich achter de wachter in het zadel en prikte met zijn dolk in de heup van de man.

'Jij gaat me naar dat huis in de bergen brengen.'

De man wilde vragend omkijken, maar kreeg meteen weer een prik in zijn heup. Daarop gaf hij zijn paard de sporen.

23.

'Minder dan een halve dag rijden nog,' zei Miko.
'Ik zal jullie stilaan moeten vastbinden,' zei Egon. Hij
was zenuwachtig.

'Op een halve dag rijden zien ze ons in Kristallijn nog niet, hoor,'
zei Miko lachend. 'Maak je niet zo druk. Het komt wel in orde.'

'Jij lijkt er wel erg gerust op,' merkte Rogar op.

Miko trok zijn schouders op. 'Ik bekijk het zo: doodgaan
doen we toch, wat we ook proberen om eraan te ontsnappen.
Ik vertrouw erop dat ik niet zal gaan voor het mijn tijd is.'

'Maar hoe weet je wanneer je tijd gekomen is?' vroeg Egon.

'Volgens mij zul je altijd vinden dat het te vroeg is.'

'Maak je daar maar geen zorgen over, Egon,' zei Miko. 'Als het
zover is, zul je het echt wel weten. En als je twijfelt, vertel ik het
je wel.'

Miko was de enige die lachte om zijn grap. De andere twee
waren te gespannen.

'Luister,' zei Rogar. Hij stak zijn hand op en hield zijn paard
in. 'Horen jullie dat ook?'

'Hoefgetrappel,' zei Egon. 'Snel, de boeien.'

Hij pakte twee stukken touw uit zijn zadeltas en bond ze
losjes om de polsen van Miko en Rogar. Daar was hij net
mee klaar toen er twee ruiters in zicht kwamen.

'Speel jullie rol,' zei Egon. 'Laat mij het woord doen.' Hij veegde zijn zwetende handpalmen af aan zijn broek.

De twee ruiters, soldaten van de Skyrth, hielden halt bij het drietal.

'Wie zijn jullie? Waar gaan jullie naartoe?'

'Dit zijn twee gevangenen voor de mijnen. Dieven. Opdracht van de Grootvorst,' zei Egon.

'En jij bent alleen om twee misdadigers te begeleiden?'

'Met hun handen op hun rug gebonden kunnen ze nergens heen.'

'Heb je een bevelschrift?'

Egon keek de soldaat geschrokken aan.

'Je hebt toch wel een bevelschrift meegekregen?'

'Eh… natuurlijk,' zei Egon. Om tijd te winnen deed hij alsof hij in zijn zadeltas naar het document zocht.

'Zeg eens,' zei de andere soldaat. 'Wat heeft dit te betekenen? Je gevangenen niet gefouilleerd?'

Hij boog voorover en stak zijn hand uit naar het mes dat een klein stuk uit Rogars laars stak. Die stampte de soldaat met de punt van zijn laars in het gezicht, waardoor die met een kreet van pijn terugtrok. Zijn paard reageerde zenuwachtig en begon te trappelen. De soldaat bij Egon trok zijn zwaard, maar Egon was sneller en stak de man in de borst. Zonder een kik viel de man uit het zadel. De andere soldaat kreeg zijn paard onder controle en plantte zijn sporen in de flanken van het dier. Snuivend stoof het paard weg. Zonder aarzelen zette Egon de achtervolging in. Hij spoorde zijn paard aan tot een snelle galop en kwam beetje bij beetje dichterbij. Af en toe keek de soldaat achterom en dan jakkerde hij zijn rijdier nog meer af. Hij had duidelijk geen zin in een gevecht van man tegen man.

Egon schatte de afstand en trok zijn mes. Normaal was hij een trefzekere messenwerper, maar mikken vanop de rug van een galopperend paard was andere koek. Hij gaf zijn paard extra de sporen om nog wat dichterbij te komen. Toen hij nog maar een tweetal meter achter lag, waagde hij het erop. Hij pakte het mes bij het lemmet en wierp het in een soepele beweging naar de soldaat. Het mes drong tussen de schouders het lichaam van de soldaat binnen en de man viel voorover in de nek van zijn paard. Niet langer aangespoord vertraagde het dier een beetje. Egon zag kans de teugels te grijpen en liet het paard stoppen. Zijn berijder verroerde zich niet meer. Hij was dood.

Hijgend keek Egon naar het lijk. Hij had hun opdracht op het nippertje gered. Hij maakte rechtsomkeer en reed stapvoets naar zijn kameraden toe. Langzaam kwam zijn hart weer tot bedaren.

Miko en Rogar stonden naast hun paard. Het paard van de eerste dode soldaat stond naast de weg rustig te grazen.

'Knap werk,' zei Rogar met een knikje naar de dode op het paard.

'Zonder jou hadden we het kunnen vergeten,' zei Miko.

'Wat doen we met de lijken? En de paarden?' vroeg Egon.

'En dat bevelschrift? Daar heeft niemand van ons aan gedacht.'

Hij steeg af en klopte op de zwetende nek van zijn paard.

'Ik denk niet dat we dat nodig zullen hebben,' zei Miko, terwijl hij zich bukte om het zwaard van een van de dode soldaten op te rapen.

'Wat bedoel je?' vroeg Egon. 'Als zij ernaar vroegen, zullen ze dat in Kristallijn zeker ook doen.'

'Ik bedoel...' zei Miko. Hij maakte zijn zin niet af, maar draaide zich vliegensvlug om en haalde uit. Het zwaard raakte Rogar vol in de maag; schreeuwend van pijn viel hij neer.

'Ben je gek?' riep Egon ontzet.

Het volgende moment voelde hij de punt van het bebloede zwaard tegen zijn keel.

'Hola, handjes weg van dat zwaard, Egon.'

Egon spreidde zijn armen met geopende handen.

'Miko, wat heeft dat te betekenen? Wat doe je?'

'Ons probleem oplossen. Zonder gevangenen heb ik geen bevelschrift nodig, toch?'

'Jij, vuile verrader.'

'De Skyrth betaalt goed, Egon,' zei Miko met een valse lach om zijn mond.

'Daarom wilde je zo graag terug naar de hoofdstad om verslag uit te brengen,' beet Egon hem toe.

'Vooral handig om wat meer Koningsgezinden te leren kennen. Ik denk dat het nest van dat vrouwtje intussen wel uitgerookt zal zijn.'

'Jij, smerige hond.'

Miko liet de punt van het zwaard zakken tot aan Egons middenrif.

'Ach ja, herinner je je ons gesprek van zo-even nog?'

Egon keek hem vragend aan en meteen daarop stootte Miko het zwaard onder zijn ribben door naar binnen. Rochelend zakte Egon op zijn knieën, terwijl hij Miko met grote, ontzette ogen bleef aankijken.

'Je vroeg je toch af hoe je kon weten wanneer je tijd gekomen was?' Miko lachte. 'Dit is jouw moment, Egon.'

Met een krachtige draai van zijn pols maakte hij een einde aan Egons leven.

24.

Gerolf Breitsang ademde zwaar, deze keer niet omdat hij te snel had gelopen, maar omdat hij alweer slecht nieuws moest melden. Hij wist al van de ontsnapping van de gevangene toen hij de Grootvorst eerder die dag in de troonzaal had gezien, maar diens reactie op het andere nieuws was al zo furieus geweest dat hij er wijselijk het zwijgen toe had gedaan. Hij kon dit voorval echter niet blijven verzwijgen. Vroeg of laat zou de Grootvorst naar de gevangene vragen en als dan bleek dat zijn raadsheer informatie voor hem had achtergehouden, zou dat diezelfde raadsheer wel eens zijn hoofd kunnen kosten.

Hij begreep er niets van. Op klaarlichte dag was iemand erin geslaagd het kasteel binnen te dringen, twee wachters te vermoorden en te ontsnappen met een gevangene die meer dood dan levend was, terwijl bij elke deur wachtposten stonden. Als Breitsang het al niet begreep, hoe zou hij dan op enig begrip van de Grootvorst kunnen rekenen? Na de tip van zijn spion Miko had hij gehoopt een goed tegenwicht tegen het slechte nieuws te kunnen bieden met de arrestatie van een leidinggevende figuur binnen de Koningsgezinden. De kapitein van de patrouille had die hoop echter de kop ingedrukt. Die dekselse vrouw was onvindbaar. Blijkbaar was ze op haar beurt getipt. Volgens de informatie die de kapitein in haar buurt had verkregen, zorgde de vrouw voor een zwaargewonde man. Breitsang vroeg zich af of het de ontsnapte gevangene kon zijn. In dat geval hadden de beulen hun werk niet goed gedaan. De man had met geen woord gerept over enige verbondenheid met de Koningsgezinden. Zijn maag begon weer op te rispen. Al die zenuwen waren absoluut slecht voor zijn spijsvertering. Met twee handen masseerde hij zijn gezwollen maag en luid boerend liep hij de gang naar de vergaderzaal in.

De raadsleden waren er al toen Breitsang binnenkwam. Toch nog iéts dat liep zoals het moest. Breitsang liep de zaal door en klopte op de deur van het kantoor van de Grootvorst. Hij ging naar binnen en negeerde zijn protesterende maag.

'De raad is aanwezig, Grootvorst.'

'Mijne heren,' begon de Grootvorst. Zijn stem klonk rustig, beminnelijk bijna.

Vooral dat maakte Gerolf Breitsang bang. De bulderende orkaan was nog te trotseren. Op het moment dat hij losbrak, wist je waar je aan toe was. Het was dan zaak standvastig te blijven en niet toe te geven aan het bibberen van je benen. Maar wanneer de Grootvorst deze bijna zalvende toon gebruikte, kon niemand inschatten wat er te gebeuren stond. Voor Breitsang wees het op gevaar. Hij was op zijn hoede en hield zijn hart vast voor wat komen zou.

'Reeds twintig jaar regeer ik als Grootvorst over dit mooie

Zeneria, het grootste – of moet ik zeggen het enige – land ter wereld. De eilanden die binnen afzienbare tijd toch verdwenen zullen zijn laat ik buiten beschouwing. Zij stellen niets voor. Mijn taak is zwaar en heeft vele facetten. Om mijn opdracht naar behoren uit te voeren en te kunnen beantwoorden aan de noden van mijn land heb ik me al die jaren omringd met een raad.' Hij keek nadrukkelijk iedereen rond de tafel een voor een aan. Bij sommige raadsleden stonden al kleine zweetdruppeltjes op hun voorhoofd, maar ze durfden zich niet te verroeren om ze weg te vegen.

'U zult het met me eens zijn dat het niet alleen een eer is om in deze raad te zetelen, het houdt ook in dat u allen een belangrijke taak te vervullen hebt, in dienst van Zeneria én van uw Grootvorst.' Hij onderbrak zijn betoog en concentreerde zich op zijn vingers, alsof hij op zoek was naar vuil onder een van de onberispelijk schone nagelranden. Toen barstte hij los.

'Waarom voeren jullie dan niets uit? Waarom krijg ik dag na dag het gevoel dat ik hier alles alleen moet doen? Ik word omringd door een stelletje nietsnutten! Elk idee moet ik zelf lanceren, als ik tenminste wil dat het van enige waarde is. Dag na dag moet ik horen dat er weer iets in het honderd loopt! Elke keer word ik geconfronteerd met de bedroevende incompetentie van de mannen die ik als raadsleden heb aangesteld! Ik schenk jullie mijn vertrouwen en wat krijg ik in de plaats? Niets!'

De Grootvorst brulde het uit. Zijn gebalde vuisten lagen op tafel en zijn knokkels werden spierwit. Dat was ook de kleur van de gezichten van de raadsleden. Iedereen realiseerde zich dat dit een heel gevaarlijk moment was.

'Vortsung, jij bent raadslid voor technologie.'

Vortsung kromp zichtbaar in elkaar. 'Dat klopt, heer Grootvorst.'

'Leg me dan eens uit hoe het mogelijk is dat de reiscapsule niet werkt en dat de communicatie met het kunsteiland na een kort herstel alweer is uitgevallen.'

'Volgens de technici wordt de communicatiezuil ter plaatse gedeactiveerd, heer Grootvorst. Zij kunnen dat van hieruit niet verhelpen. Dat zal ter plaatse bekeken moeten worden.'

De Grootvorst reageerde niet en dat gaf Vortsung de moed om door te gaan. 'Wat de reiscapsule betreft, blijkt er een probleem te zijn met het aandrijfkristal. Het geeft geen energie door naar het magnetisch veld waardoor de capsule normaal gezien in beweging wordt gebracht.'

'En wat denk je daaraan te doen?' vroeg de Grootvorst kort.

Vortsung slikte. 'Mogelijk gaat het om een uitgeput kristal, heer Grootvorst, dat is wat de technici geopperd hebben. Ze stellen nu voor om het kristal van de tweede capsule over te plaatsen in de eerste, zodat we die tenminste naar Kristallijn kunnen sturen.'

De Grootvorst hield zijn vingers tegen elkaar en tuitte zijn lippen. Secondelang zei hij niets. De spanning was te snijden. 'Laat me het even samenvatten, zodat je oplossingen voor iedereen aan deze tafel duidelijk zijn,' begon hij na een tijdje.

'We weten allemaal dat er schepen onderweg zijn naar het kunsteiland om na te gaan wat daar aan de hand is. Terwijl ze daar dan toch zijn, moeten ze meteen maar even kijken wat er met de communicatiezuil mis is.'

'Ik heb een technicus meegestuurd, heer Grootvorst,' kwam Vortsung tussenbeide. Hij kon nauwelijks verhinderen dat zijn stem begon te beven.

'Heb ik je de toelating gegeven me te onderbreken, Vortsung?' blafte de Grootvorst hem toe.

Vortsung mompelde een verontschuldiging en boog het hoofd. 'De oplossing voor de defecte capsule is zo mogelijk nog eenvoudiger. Om de capsule weer op gang te krijgen, wil je de tweede capsule immobiliseren, waardoor het voor je Grootvorst onmogelijk wordt in een noodsituatie een veilig heenkomen te zoeken. Als ik voortga op het gestuntel dat jullie tentoonspreiden, zou zo'n noodsituatie zich wel eens heel snel kunnen voordoen!'

De Grootvorst sloeg op de tafel en ademde zwaar door zijn neusgaten. 'Als ik deze bedroevende situatie snel analyseer, mijn beste Vortsung, dan komt het me voor dat jouw inbreng in een constructieve oplossing tot nu toe klein, om niet te zeggen onbestaande is geweest. Dus komt onmiddellijk de vraag in me op welk nut jij eigenlijk hebt binnen deze raad.'

Het onuitgesproken dreigement vulde de vergaderzaal met een loden stilte. Een straaltje zweet liep langs Vortsungs slaap naar beneden. Hij wist dat dit zijn laatste moment als raadslid was.

'Breitsang, noteer dat je dringend op zoek moet naar een nieuw raadslid voor technologie. Vortsung laat je onmiddellijk in de kerker opsluiten. Hij kan daar samen met die andere gevangene wachten op het moment dat de onthoofder klaar is voor hem.'

'Heer Grootvorst,' begon Breitsang, 'in dat verband vrees ik dat ik…'

'Doe het Breitsang. Nu!'

'Jawel, Grootvorst,' zei Breitsang met een hoofdknik. Hij stond op en nodigde Vortsung hoffelijk uit hem te volgen.

Buiten droeg hij de man over aan de wachters voor de deur. 'Sluit het raadslid op in de kerker,' beval hij.

Zonder Vortsung nog een blik te gunnen ging hij weer naar binnen. De angst maakte zijn keel droog. Hij moest nog altijd vertellen dat Jorund Stormsung ontsnapt was. Zoals de Grootvorst nu gehumeurd was, kon die eenvoudige mededeling hem zijn kop kosten. Het verder uitstellen kon minstens even gevaarlijk zijn.

'Smidsung,' zei de Grootvorst, 'raadslid voor orde en veiligheid. Men had me gewaarschuwd dat het onverstandig was om mannen van lage komaf een hoge functie te geven. Ik heb die waarschuwing in de wind geslagen om jou een kans te geven. Moet ik besluiten dat ik me heb vergist?'

Het raadslid met het kalende hoofd en de grote, vierkante kin keek de Grootvorst met angstige ogen aan.

'De garnizoenen, die onder jouw verantwoordelijkheid

vallen, hebben belangrijke delen van Zeneria in handen van
de opstandelingen laten vallen. Als het zo verdergaat, moeten
we vrezen voor de hoofdstad.'

Smidsung verschoof zenuwachtig op zijn stoel, goed beseffend
dat zijn antwoord over zijn lot zou beslissen. Hij besloot alle
schuld in de schoenen te schuiven van de man voor wie het
toch niet meer uitmaakte.

'De commandant van Kraukar heeft helaas ernstige fouten
gemaakt, heer Grootvorst,' begon hij. 'Het was mij ter ore
gekomen dat hij meer tijd aan vrouwen en drank besteedde
dan aan het leiden van zijn garnizoen. Daarom had ik een
boodschapper gestuurd met het bevel dat hij zich moest
komen verantwoorden. Ik vermoed dat die boodschapper is
omgekomen, zoals zovelen in Kraukar, heer Grootvorst.
Zodra ik hoorde van de opstand, heb ik onmiddellijk een
regiment naar Farral gestuurd om het garnizoen daar te
versterken. Helaas zijn zij te laat gekomen.'

'Moet ik daaruit opmaken dat je te laat hebt gehandeld?'
vroeg de Grootvorst dreigend.

'Dat moet ik toegeven, heer Grootvorst. Mochten we echter
beschikken over de mogelijkheid tot directe communicatie
met de steden, dan had ik veel eerder kunnen reageren en
hadden we de verdediging van Farral en Hakstad ongetwijfeld tijdig kunnen organiseren.'

Met alle moed die hij in zich had, wierp hij een veelbeteke-
nende blik naar het doffe kristal in het midden van de tafel.
Als dat eenmaal naar behoren zou werken, zoals het allang

had moeten doen, was het heen en weer sturen van bood-schappers verleden tijd. Weer een verwijt aan het adres van Vortsung, maar diens lot was toch al bezegeld.

De Grootvorst bleef dreigend kijken, maar de gevreesde uitbarsting bleef uit. Smidsung begon te geloven dat hij hier levend uit kon komen.

'De schepen naar het kunsteiland zullen op dit ogenblik zo-wat ter plaatse zijn en áls de technologie werkt – opnieuw een sneer naar Vortsung – zullen we heel snel bericht krijgen. Verder heb ik geanticipeerd op het probleem met de reis-capsule: een spion is erin geslaagd te infiltreren in de rangen van de Koningsgezinden. Hij is nu op weg om Kristallijn te waarschuwen.'

De gelaatsuitdrukking van de Grootvorst werd milder. Smidsung klonk steeds zelfverzekerder, nu hij het gevoel kreeg dat hij zijn heer overtuigde van zijn nut als raadslid.

'En welke boodschap zal die spion brengen?'

'We mogen niet het risico lopen dat het leger van de opstan-delingen nog sterker wordt, heer. De commandant van Kristallijn zal het bevel krijgen de mannelijke slaven in de kristalmijnen te doden.'

'Een drastische maatregel,' mompelde de Grootvorst. 'Maar je doortastendheid spreekt me aan. Stuur nieuwe bood-schappers naar Kristallijn. Stuur ze langs verschillende wegen, zodat er zeker één aankomt. De troepen van Kristallijn moeten oprukken langs het zuiden. Op die manier nemen we de opstandelingen in Kraukar in de tang. Laat ook twee regimenten uit Kristallijn langs de noordkust oprukken om Farral en Hakstad te heroveren. We zijn in oorlog, heren.'

Breitsang voelde dat de Grootvorst de vergadering wilde beëindigen. Hij onderdrukte een oprisping van zijn maag en vroeg het woord.

'Er is nog een probleem opgedoken tijdens de executie van de commandant van Kraukar, Grootvorst.'

'Vertel.'

'De gevangene, Jorund Stormsung, het Skyrth-lid dat een meisje van de villa probeerde te ontvoeren, heeft weten te… ontsnappen.'

De Grootvorst keek Breitsang onheilspellend aan. Hij klemde zijn tanden op elkaar.

'Ontsnappen? Het laatste dat ik over die man hoorde, was dat de ondervragingen moesten worden stopgezet omdat hij niet meer kon spreken. Hij was op sterven na dood, was mij verteld.'

'Dat… was ook zo, Grootvorst.'

'Dan moet je mij eens uitleggen hoe iemand die halfdood is zijn cel kan openen, ongezien voorbij de wachters kan glippen en het paleis uit kan komen terwijl het hele garnizoen aanwezig is.'

'Hij moet hulp van buitenaf hebben gekregen, Grootvorst,' zei Breitsang. 'De wachters zijn dood aangetroffen.'

De Grootvorst draaide zijn rood aangelopen hoofd in de richting van het corpulente raadslid dat de paleiswacht onder zijn bevoegdheid had. Hakkelend probeerde die zichzelf te verdedigen.

'Ik heb de kapitein van de wacht ter verantwoording geroepen, Grootvorst. Hij zal gepast gestraft worden.'

'Besef jij wel wat dit betekent, Harsold?' brieste de Grootvorst. 'Terwijl jij je dikke lijf zit vol te vreten of je lusten botviert op de hoeren in de villa, is dit paleis slechter beveiligd dan gelijk welke herberg waar iedereen vrij in en uitloopt. Als iemand zomaar uit de kerker kan ontsnappen, wil dat zeggen dat iedereen ook zomaar het paleis ín kan. Ook Koningsgezinden die een aanslag willen plegen, dus.'

'Heer Grootvorst, ik kan u verzekeren dat…'

De Grootvorst kwam met een ruk overeind en brulde over de tafel heen: 'En ik verzeker jóú dat je de deugdelijkheid van onze kerkers zelf mag uittesten… van binnenuit! Breitsang, noteer dat je met onmiddellijke ingang een nieuw raadslid voor interne veiligheid aanstelt. Laat Harsold in de kerker werpen. De vergadering is gesloten!'

Woedend draaide de Grootvorst zich om. Hij sloeg de deur van zijn kantoor met een enorme klap achter zich dicht. Breitsang gebood de wachters Harsold mee te nemen. Hij was opgelucht dat hij zelf opnieuw aan de toorn van zijn meester was ontsnapt.

25.

De houten schilden waren zo breed dat vijf mannen zich er gemakkelijk achter konden verschansen. Aaneengesloten als een bewegende wand kwamen ze dichterbij. De verdedigers van het fort van Kraukar stuurden een regen van pijlen de lucht in om de aanval te stoppen, maar de projectielen boorden zich in de gigantische schilden zonder schade aan te richten.

'Spaar jullie pijlen!' riep Lovennia. 'Dit heeft geen zin. We hebben de magische krachten van Thom nodig. Hij zou de schilden in vlammen doen opgaan.' Gefrustreerd sloeg ze met haar vuist tegen de borstwering.

Het beeld dat Lovennia opriep bracht Jari op een idee.

De brandende pijlen veroorzaakten een vlammenzee op de schilden. Jari had lappen stof in pek laten drenken en die net achter de pijlpunten bevestigd. Zodra de pijlen werden aangestoken veranderden ze in brandende fakkels die hun vlammen hongerig aan het hout van de schilden lieten likken. De belegeraars konden de brandende schilden niet langer vasthouden en zodra ze hun beschutting afgooiden, werden ze neergemaaid door de volgende pijlenregen. De verdedigers juichten terwijl de overlevende aanvallers ijlings op de vlucht sloegen. Lovennia klopte Jari lachend op de schouder. Haar respect voor hem groeide.

Op het kunsteiland waren de achtergebleven Cahayanen geen partij voor de Skyrth-soldaten die de kade overspoelden. De Cahayanen vochten met de moed der wanhoop, maar de overmacht was veel te groot. Sacha, die de leiding had, werd met een tiental strijdsters teruggedreven naar de tempel, waar de communicatiezuil zich bevond. Op de trappen probeerde ze de verdediging nog te organiseren, maar de ene na de andere strijdster viel onder de slagen van de vijand. Tegen beter weten in bleef Sacha vechten en haar mensen aanmoedigen. Haar zwaard flitste op en neer. Voor elke tegenstander die ze neermaaide, leken er twee in de plaats te komen. Ze draaide zich om naar een aanvaller aan haar rechterkant en voelde tegelijkertijd een scherpe pijn in haar linkerarm. Vlijmscherp staal sneed door haar huid en haar spieren en het bloed stroomde naar buiten. De pijn verbijtend haalde ze met een woeste kreet uit naar de soldaat die haar arm er bijna had afgehakt. Haar zwaard doorboorde zijn keel. De speer die zich in haar hart plantte, voelde ze zelfs niet. Ze was dood voor ze de grond raakte.

'Het was een list, Grootvorst. Het leek alsof ze van onze komst wisten. Ze waren voorbereid.'
Reikon keek via de communicatiezuil naar de Grootvorst. Het gezicht van de machtigste man van Zeneria stond

grimmig. 'Onmogelijk!' riep hij woedend. 'Alle eilanden die je hebt veroverd, zijn gezonken. Je hebt hun kristallen meegenomen.'

'Inderdaad, Grootvorst. Ik begrijp ook niet hoe ze het konden weten. Maar sta me toe naar Zeneria te komen en ik hak dat vrouwelijk addergebroed en hun magiër in de pan.'

'Magiër? Waar heb je het over?'

'Ze worden aangevoerd door een vrouw, maar haar rechterhand is een jongeman. Hij vecht met vuur.'

Het beeld van de Grootvorst keek Reikon perplex aan. 'Hoe dan?'

'Ik weet het niet precies, Grootvorst, maar schijnbaar vanuit het niets tovert hij brandende lichtstralen tevoorschijn.' Reikon keek veelbetekenend naar zijn zwaar verbrande rechterarm, die nog altijd zo goed als onbruikbaar was. 'Het vuur is in ieder geval echt.'

'Jullie komen onmiddellijk naar Zeneria. Val het bezette fort van Kraukar aan vanuit het zuiden. Ze zullen hun verdediging moeten opsplitsen. Dan worden ze kwetsbaar.'

'En de gevangenen, Grootvorst. Wat doe ik daarmee?'

'Afmaken,' klonk het onmiddellijke antwoord. 'Of nee, als dit voorbij is, zullen we veel nieuwe slaven nodig hebben. Sluit ze op in het kamp.'

Reikon wilde de Grootvorst groeten, maar de verbinding was al verbroken.

In gedachten verzonken verliet de Grootvorst de communicatie-ruimte. De woorden van Reikon over een jongeman die met vuur vocht, baarden hem zorgen. Hij dacht aan de verhalen over de oude koningen van Zeneria. Daarin voerden die hun legers aan, strijdend met vuur dat op magische wijze uit hun handen ontsprong. De Grootvorst was nooit getuige geweest van zoiets en Zenerius was in zijn bed vermoord zonder dat er ooit een vonk aan zijn handen was ontsnapt. Oude verhalen werden vaak opgesmukt en spectaculair gemaakt en de Grootvorst had nooit veel geloof gehecht aan de zogenaamde Gave die via de bloedlijn van de koningen werd doorgegeven. Maar waar of niet, door dit verhaal zouden simpele zielen wel eens kunnen denken dat de erfgenaam van de koning de opstand leidde. De Koningsgezinden zouden niet aarzelen om dit gerucht de wereld in te sturen. Het lichaam van de koningin was immers nooit teruggevonden.

Met Reikons mannen erbij waren de schepen die terugvoeren naar Kraukar afgeladen vol. Ze maakten veel diepgang en af en toe klotste een golf over de rand. Reikon stond met een verbeten trek om zijn mond op de voorplecht. Zijn linker-hand omklemde het gevest van zijn zwaard. Hij had nog steeds twaalf hechtingen in zijn bovenarm en elke beweging deed veel pijn, maar hij dacht er niet aan om werkeloos toe te kijken hoe de strijd zich zou ontplooien. Hij zou die snotneus en die feeks betaald zetten wat ze hem hadden aangedaan. Zijn lichamelijke verwondingen waren nog het minst. Als het moest kon hij heel veel pijn verbijten. Maar de vernedering die hij voor de ogen van zijn manschappen had moeten ondergaan, kon hij niet verdragen. Woede laaide in hem op als een niet te stillen vuur. Hij zou zijn gram halen, ook al had hij maar één bruikbare arm.

26.

'We moeten hier overnachten,' zei de wachter. 'Het pad is te gevaarlijk in het donker. Eén misstap en we storten in het ravijn.'

'Afstijgen,' zei Thom kort.

Hij keek om zich heen, maar zag geen enkele plek die enig comfort bood. Hij dwong de wachter te gaan liggen en boeide zijn handen en voeten met een touw. Het paard bond hij vast aan een boom.

'Je gaat geen comfortabele nacht tegemoet, vrees ik,' zei Thom, antwoordend op de vragende blik van de man. 'Maar bekijk het van de zonnige kant: je leeft nog. Dat is iets wat jij mij in het omgedraaide geval waarschijnlijk niet had gegund.'

Zelf zocht hij een paar meter verderop een plaatsje. Hij maakte zich zo klein mogelijk in een poging een beetje van zijn lichaamswarmte vast te houden. Hij hoopte maar dat hij erin zou slagen een paar uurtjes te slapen. Ergens daarboven zat Enea, hield hij zich voor terwijl hij tegen de helling opkeek. Ze maakte zich vast klaar voor de nacht. Hoe zou ze reageren als ze wist dat hij op komst was? Hij probeerde zich haar gezicht voor te stellen; dat lukte hem steeds moeilijker. Hopelijk was dat geen slecht voorteken.

Enea ging met een brede kam door haar lange haren. Ze miste het eiland en de zee. Nog nooit was ze zo ver van de zee verwijderd geweest. De kans was groot dat ze de oceaan nooit meer zou zien. En al de eilanders, alle mensen van wie ze had gehouden, ze waren allemaal weg. Zou ze hen terugzien aan de andere kant? En Jorund? Leefde hij nog? Haar verstand zei van niet, de Skyrth had geen enkele reden om hem te sparen, zeker niet als ze gehoor gaven aan de wens van Yfe. Maar haar hart vertelde haar iets anders. In haar hart leefde hij, was hij nog niet weg.

Onzin, dacht Enea. Natuurlijk is hij weg. Je hebt niemand meer. Ze bracht haar hand naar haar buik, die al een lichte welving vertoonde.

'In wat voor een wereld ga jij terechtkomen, kleintje? En wie gaat er voor je zorgen?'

De tranen rolden over haar wangen in het besef dat ze haar kind na drie maanden zou moeten afgeven. Het zou een wees worden, vader en moeder allebei vermoord. Ze twijfelde er niet aan dat dat haar lot zou zijn. En, erger nog, het kind zou worden opgevoed met waarden die ze zelf verfoeilijk vond. Het zou doordrongen zijn van het gedachtegoed van de Skyrth. Waarschijnlijk zou haar kind het later normaal vinden dat er slaven waren zoals zijzelf er een was. Nooit zou het weten wie zijn ouders waren geweest.

Misschien kon dit kind er beter helemaal niet komen, dacht ze wrang. De gedachte dat de vrucht uit haar schoot zou meewerken aan het onmenselijke rijk van de Skyrth was bijna ondraaglijk. Maar hoe onbeduidend het nu ook nog was, toch voelde ze al liefde voor het kleine wezentje dat zich binnen in haar had genesteld. Ook al zag ze een mogelijkheid, dan nog zou ze het niet over haar hart kunnen verkrijgen het iets aan te doen.

Ten prooi aan tegenstrijdige gedachten ging Enea op haar bed liggen. De zachte matras vormde zich naar haar lichaam alsof ze een veilig nest wilde bieden waar boze gedachten geen plaats kregen. Enea dacht aan Jorund. Ze zag hem voor zich in de kamer waar ze altijd afspraken. Zolang hij haar niet aanraakte, was alles perfect. Ze hoefde niet meer met andere mannen te liggen en hun gesprekken maakten haar leven in de villa draaglijk. Maar ze had geweten dat het zo niet kon blijven duren. Er waren vragen gekomen waarom ze nog steeds elke maand bloedde. Ze moest Jorunds aanrakingen op den duur dus wel ondergaan; het was dat of opnieuw onderworpen worden aan de lusten van andere klanten. Maar hij was zacht geweest, meer dan eens had hij bezorgd gevraagd of hij haar geen pijn deed. Pijn had ze nooit ervaren, integendeel, ze leerde te genieten van zijn aanrakingen en na een tijd verlangde ze zelfs naar hem wanneer hij niet in de buurt was. Ze was er zeker van dat ze samen met hem korte momenten van geluk had ervaren. Die momenten zou ze proberen te koesteren tot haar laatste ogenblik gekomen was. Ze had nog minder dan een jaar te leven. Ze hoopte vurig dat ze in die tijd niet zou vergeten hoe Jorund er had uitgezien, hoe zijn aanrakingen op haar huid hadden gevoeld, hoe hij had geroken. Ze wist dat zulke herinneringen konden verdwijnen. Er waren al heel wat eilanders die ze zich nog moeilijk voor de geest kon halen.

Met gesloten ogen riep ze het beeld van het hoofddorp op. Ze zag de tempel, de huizen en de mensen die er rondliepen. Sommigen hadden een gezicht dat nog herkenbaar was, bij anderen was het gezicht al een wazige vlek geworden. En ineens zag ze Thom. Zij achter de plank waar ze bier tapte, hij breed glimlachend en met een verlekkerde blik in zijn ogen. Keek hij naar het bier of naar haar…?

Met een ruk ging Enea overeind zitten en ze tuurde in het duister. Ze was in slaap gevallen, maar Thom had zo echt geleken. Terwijl haar ogen aan het donker wenden, overtuigde ze zich ervan dat het niet meer dan een droom was. Thom was hier niet, hij zou hier ook nooit komen. Waarschijnlijk was hij dood achtergebleven op het eiland, net als Jari, net als zo vele anderen.

'Ik had van je kunnen houden, Thom,' fluisterde ze in de nacht. 'Ik was er klaar voor.'

27.

De poortwachter van het fort van Kristallijn sloeg meteen alarm toen hij de vreemde stoet zag naderen: een ruiter met vier paarden op sleeptouw, elk met een levenloos lichaam over het zadel. Enkele tellen later reden zes gewapende soldaten onder de poort door, de ruiter tegemoet.

Miko stak zijn handen in de lucht nog voor de soldaten bij hem waren.

'Ik moet uw commandant spreken,' zei hij.

'Hé, verdorie, dat zijn er twee van ons,' riep een soldaat. 'Verdomde schoft, hier zul je voor boeten!'

'Beheers je,' zei een andere. 'De commandant zal willen weten wat onze mannen is overkomen. Hij zal niet blij zijn als je dit zwijn doodt.'

De soldaat die Miko had bedreigd nam zijn hand terug van het gevest van zijn zwaard.

'Meekomen!' zei hij bars.

Siggurd Vossung torende hoog boven Miko uit. De commandant van Kristallijn werd gevreesd door zijn mannen én door de burgers van de stad. In theorie was het bestuur van de stad in handen van Birger Velghen, maar iedereen wist dat Siggurd Vossung in werkelijkheid de lakens uitdeelde.

En dat deed hij met ijzeren hand. Wie zich niet schikte naar zijn wetten, moest zijn toorn vrezen. Niet zelden eindigde zo iemand in de kristalmijnen. Vossungs reputatie was tot ver buiten Kristallijn bekend en ook Miko had al over hem gehoord. Hij keek naar de breedgeschouderde man met het hoekige gezicht en begreep waarom iedereen bang was voor hem. Zijn donkere ogen lagen diep in hun kassen en werden overschaduwd door zijn borstelige wenkbrauwen. Over zijn linkerwang liep een groot litteken, dat hij had overgehouden aan een ruzie in een herberg toen hij nog een gewone soldaat was. Dat was meteen het allerlaatste wapenfeit geweest van de man die hem dat aandenken had bezorgd. Vossung vergat niet en vergeven deed hij al evenmin.

'Jij zult met een verdomd goede uitleg moeten komen als je niet in de mijn wilt verdwijnen,' gromde Vossung. 'Je komt hier doodleuk aanrijden met de lijken van twee van mijn mensen. Wat is er met hen gebeurd?'

Miko wilde zich niet laten intimideren. De aanval was de beste verdediging, vond hij.

'Als ik verantwoordelijk was voor hun dood, zou ik dan zo dom zijn hun lichamen te komen afleveren?'

'Weet je wel tegen wie je spreekt, kereltje?' Vossung deed dreigend een stap dichterbij.

'Ik weet vooral dat u er alle belang bij hebt naar mij te luisteren,' antwoordde Miko.

Briesend greep Vossung Miko bij zijn hemd en tilde hem half van de stoel waarop hij zat.

'Niemand spreekt op die toon tegen Siggurd Vossung, rat! Wat belet me om jou meteen de mijn in te gooien?'

'Misschien het feit dat ik in naam van raadslid Smidsung spreek?' vroeg Miko fijntjes, ook al werd zijn hoofd achterovergedrukt door de vuist van de garnizoenscommandant.

Vossung verslapte zijn greep en liet Miko weer op de stoel zakken.

'Wat heeft die hiermee te maken?'

'Ik kom u waarschuwen... en een opdracht geven,' zei Miko.

Vossung beet op zijn tanden bij die onbeschaamdheid, maar als deze kerel echt door Smidsung was gezonden, moest hij hem aanhoren. Hij liep naar zijn bureau en ging zitten. Tegen zijn zin zei hij: 'Ik luister.'

'Er is een opstand uitgebroken in Kraukar,' begon Miko. 'Een strijdmacht van buitenaf is Zeneria binnengevallen en heeft de slaven van de ijzerertsmijnen daar bevrijd. Terwijl wij praten, rukken zij over zee op naar het noorden. Het is niet ondenkbaar dat Farral en Hakstad nu al gevallen zijn. Ze willen Zeneria-Stad omsingelen. De verbindingswegen met het oosten worden gecontroleerd door de opstandelingen. Alleen met een list ben ik erdoor geraakt.'

Vossung keek hem staalhard aan. 'Van buitenaf? Ze zijn niet van Zeneria?'

'Inderdaad. Ze moeten erin geslaagd zijn Reikon te verslaan en zijn met het slaveneiland hierheen gekomen. Ze willen ook Kristallijn veroveren.'

Een vastberaden trek verscheen om Vossungs mond. Wie die

vijand ook mocht zijn; hij zou geen voet binnen de muren van Kristallijn zetten.

'Uw twee soldaten werden vermoord door de anderen die ik heb meegebracht. Ik heb hen eigenhandig gedood. Zij wilden als spion de stad binnenkomen en de slaven bevrijden om zo een opstand te ontketenen. Van de verwarring wilden de indringers gebruik maken om de stad binnen te vallen. Vijandelijke troepen zijn onderweg naar hier.'

'Hoe weet ik of je de waarheid spreekt?' vroeg Vossung achterdochtig.

In plaats van te antwoorden greep Miko naar zijn laars. Meteen sprong Vossung overeind. Zijn stoel viel omver en hij trok zijn zwaard. Maar Miko trok onverstoorbaar zijn laars uit. Hij prutste wat aan de hak en opende een kleine, geheime bergplaats. Hij haalde een zegelring tevoorschijn.

'Dit is het zegel van raadslid Smidsung,' zei hij. 'Me dunkt dat dit bewijs genoeg is.'

Vossung bekeek het juweel en gromde iets onverstaanbaars. De ring was ongetwijfeld echt. Als Smidsung hem had meegegeven, moest hij deze boodschapper wel vertrouwen.

'Je zei dat je een opdracht had,' zei hij bars. Hij keek Miko vragend aan.

'De slaven van de kristalmijnen… alle mannen moeten dood.'

Geschokt staarde Vossung Miko aan. De dood van duizenden mannen deerde hem niet. Ze waren radertjes in een systeem dat hij draaiende moest zien te houden. Maar als hij de mannen doodde, zou de productie van de mijnen stilvallen. En de vraag naar kristallen werd alleen maar groter.

'Weet je dat zeker?'

'Overal sluiten bevrijde slaven zich aan bij het leger dat Zeneria wil veroveren. De slaven in Kristallijn zijn enorm talrijk. We mogen het risico niet lopen dat hier hetzelfde gebeurt. Dat zou fataal kunnen zijn.'

'Dan zal dat leger toch eerst voorbij de stadsmuren moeten raken.' Vossung keek Miko trots aan. 'Je hebt hier te maken met een goed getraind en gedisciplineerd garnizoen. Binnen de kortste keren kunnen we versterking krijgen van het militaire opleidingskamp. Niemand komt hierdoor.'

'En toch is het bevel formeel,' zei Miko. 'U moet de slaven afmaken.'

'Wie gaat er dan voor de productie zorgen? Met alleen vrouwen zal het niet lukken.'

'Dat probleem komt later aan de orde. Raadslid Smidsung was heel duidelijk. Hij verwacht geen tegenspraak.'

Miko haalde alles uit de kast om autoritair genoeg te klinken en het lukte. Met zijn zelfverzekerdheid slaagde hij erin Vossung te overdonderen. De commandant knikte.

'Hoe luiden de instructies omtrent de oprukkende troepenmacht?' vroeg hij.

'Die heb ik voorlopig nog niet gekregen,' gaf Miko toe.

Vossung dacht even na terwijl hij speelde met de robuuste briefopener van zilver en kristal. Hij draaide het prachtige voorwerp om en om in zijn hand en probeerde met het kristal het binnenvallende zonlicht te vangen. Hij liet een ontevreden gegrom horen, maar reageerde niet meer. Miko kwam aarzelend overeind.

'Dan ga ik nu maar,' zei hij. 'Ik probeer terug achter de linies te komen om verslag uit te brengen.'

Hij reikte de commandant de hand, maar die reageerde niet.

Ze zouden wel nooit vrienden worden, dacht Miko.

28.

Chyanna keek naar de stofwolk in de verte. Al snel werd een eenzame ruiter, die in volle galop naderde, zichtbaar. Iets in haar vertelde dat hij slecht nieuws zou brengen. Miko trok bruusk aan de teugels om zijn paard tot stilstand te brengen. Hij steeg af en keek Chyanna met een ontredderde blik aan. Sinds hij Kristallijn achter zich had gelaten, had hij zich het hoofd gebroken over hoe hij het nieuws zou brengen. Zijn hoofdzorg was dat hij zelf buiten alle verdenking zou blijven.

'Het plan is mislukt,' zei hij.

Dankbaar nam hij een beker water aan. Hij speelde zijn rol van de uitgeputte ruiter die urenlang zijn paard had afgejakkerd voortreffelijk, ook al had hij zijn rijdier pas tot galop aangespoord zodra hij dichtbij genoeg kwam om opgemerkt te worden.

'Kristallijn moet van onze komst geweten hebben. De slaven zijn dood. Ik ben op het nippertje ontkomen.'

'Dood?'

'Allemaal. Ze hebben de mannen vermoord, zodat ze zich niet bij ons kunnen aansluiten.'

'Egon en Rogar?'

'Dood,' zei Miko en hij trok een gepijnigd gezicht. 'In de rug geschoten toen we probeerden te ontkomen. Mijn achtervolgers hebben het opgegeven, maar ik vrees dat ze toch deze richting uit zullen komen. We moeten vluchten.'

Chyanna keek hem onderzoekend aan. Dit was een grote tegenslag, maar ze weigerde het plan dat de meesteres van de God van het Licht mee had uitgetekend zomaar van tafel te vegen. Ze nam een besluit.

'Lovennia heeft me opgedragen Kristallijn in te nemen. Dus dat is wat ik ga doen. Ik wil dat leger niet de handen vrij geven om via het noorden naar Farral te trekken en daar onze mensen in de tang te nemen.'

Dat antwoord had Miko helemaal niet verwacht. 'Dat is… dat is zelfmoord.'

'Op Cahaya noemen we dat moed,' zei Chyanna kort. 'Als je dan toch zo bang bent voor je leven, mag jij naar Kraukar rijden om verslag uit te brengen bij Lovennia. Zeg haar dat we hier versterkingen nodig hebben.'

Miko onderdrukte een glimlach. Zo gemakkelijk had hij het niet verwacht.

'Neem een fris paard. Ik stuur twee strijdsters met je mee.'

'Dat is niet nodig,' haastte Miko zich te zeggen. Pottenkijkers kon hij missen als kiespijn.

'Toch wel. Ik wil geen enkel risico lopen dat de boodschap Lovennia niet bereikt. Vertel haar wat er is gebeurd in Kristallijn en zeg dat wij oprukken.'

Miko knikte. Hij wist dat hij haar niet op andere gedachten zou kunnen brengen wat zijn escorte betrof. Hij zou wel een manier vinden om zich van hen te ontdoen. Voorlopig zou hij in ieder geval veilig zijn, ver weg van alle strijdgewoel.

Chyanna organiseerde haar strijdkrachten. Ze besefte dat ze er slecht voorstond. De vijand wachtte haar op en de extra manschappen waarop Lovennia had gerekend waren uitgemoord nog voor ze beseften dat er een opstand aan de gang was. Ze vroeg zich af wie Kristallijn gewaarschuwd kon hebben. Ze hadden de richtlijnen van de Koningsgezinden gevolgd en de toegangsweg vanuit Argar afgesloten. Hoe kon er toch iemand aan hun waakzaamheid ontsnapt zijn? Chyanna realiseerde zich dat ze zwaar in de minderheid zouden zijn, maar ze was vastberaden om de eer van Cahaya hoog te houden. Lovennia zou trots op haar kunnen zijn.

Miko en zijn escorte reden naar het westen. De twee strijdsters waren niet gelukkig met hun opdracht. Ze moesten een boodschapper beschermen in een gebied dat door hen gecontroleerd werd, terwijl hun mensen ten strijde trokken tegen een grote overmacht. Ze wilden veel liever daar zijn om zij aan zij met hun zusters te vechten. Vooral Ajanka, de oudste van de twee, zat het niet lekker. Er was iets aan die Koningsgezinde dat haar niet aanstond. Hij leek te zelfgenoegzaam. Uren geleden nog maar had hij zijn metgezel verloren en toch zat hij nu met een nauwelijks verholen glimlach op zijn gezicht in het zadel. Ze kon zich ook niet van de indruk ontdoen dat hij zijn paard opzettelijk langzaam liet draven, waardoor zij en Yshka steeds opnieuw moesten inhouden. Toen ze voor de zoveelste keer moesten wachten zag ze dat Miko zijn hand opstak. Hij steeg af. Vloekend reed Ajanka terug.

'Wat scheelt er?' vroeg ze. Ze deed geen moeite haar ongenoegen te verbergen.

'Ik weet het niet,' zei Miko, terwijl hij met zijn hand langs een been van zijn paard ging. 'Het mankt. Ik vrees dat ik niet meer verder kan.'

'Maar we moeten Lovennia waarschuwen,' zei Ajanka. Ze dacht snel na en steeg af. 'Neem mijn paard,' zei ze.

'Nee nee, ik red me wel. Haasten jullie je maar naar Kraukar.'

'Maar...'

'Luister, jullie zijn veel betere ruiters dan ik. Zonder mij komen jullie sneller vooruit. Vertel Lovennia wat er is gebeurd. Alle slaven in Kristallijn zijn dood. De kans om de stad in te nemen is verkeken. Daarom zal Chyanna niet oprukken, maar de weg naar Kristallijn gewoon blokkeren, zodat er geen troepen van daar naar Kraukar kunnen.'

'Ze zal versterking nodig hebben,' zei Ajanka.

'Dat is niet wat ze tegen mij heeft gezegd. Ze vindt het belangrijker dat onze troepen in Kraukar op sterkte blijven om het Skyrth-leger daar te kunnen verslaan. Als Lovennia wil, kan ze altijd nog een boodschapper naar Chyanna sturen om de situatie opnieuw te evalueren.

'Maar...'

'Hoe langer we hier blijven praten, hoe meer tijd we verliezen,' zei Miko. 'Lovennia zal zo snel mogelijk nieuws willen.'

Ajanka beet op haar lip. Ze mocht die man niet. Toen steeg ze op en zonder Miko nog een blik waardig te gunnen gaf ze haar paard de sporen. Ze zouden nu in ieder geval sneller bij Lovennia zijn. Op dat punt had hij gelijk.

Tevreden zag Miko de twee strijdsters er in galop vandoor gaan. Toen ze uit het zicht verdwenen waren, steeg hij op. Hij had genoeg informatie om in het paleis met open armen ontvangen te worden. In zijn eentje had hij ervoor gezorgd dat Kristallijn onmogelijk ingenomen kon worden. Een vorstelijke beloning was het minste wat raadslid Smidsung hem hiervoor verschuldigd was. Deze invasie was het beste wat Miko ooit was overkomen.

29.

'Dat kun je niet maken!'
Birger Velghen, de bestuurder van Kristallijn, keek
onthutst. Het bericht dat de commandant hem bracht,
betekende zoveel als het doodvonnis voor de mijnen.

'Besef je wel dat dan alle productie komt stil te vallen? Wie
zal de energie leveren die nodig is om de boel draaiende te
houden?'

'Bevel van raadslid Smidsung,' antwoordde Siggurd Vossung
alleen maar. Hij haatte het dat hij voor één keer dezelfde
mening toegedaan was als Velghen. Niet dat hij dat ooit zou
toegeven.

'En is dat bevel bekrachtigd door de Grootvorst?' wierp
Velghen tegen.

'Alsof een raadslid zo'n beslissing zou nemen zonder de
Grootvorst daarin te kennen.'

'Zelfs als de Grootvorst hier zijn zegen voor gegeven heeft,
dan nog vrees ik dat hij de consequenties van die beslissing
niet heeft ingeschat.'

'Ga jij de Grootvorst straks uitleggen waarom je zijn bevel
hebt genegeerd?' vroeg Vossung.

Maar de stadsbestuurder wierp hem een andere vraag in het
gezicht. 'En ga jij hem binnenkort uitleggen waarom niets

van de technologie in het paleis nog werkt? Ga jij uitleggen dat dat komt omdat alle slaven zijn vermoord en daardoor alle productie hier is lamgelegd? Wilde je hem op die manier misschien verwijten dat het zijn eigen schuld is omdat híj die opdracht bevestigd heeft? Ik ben benieuwd hoe je zult reageren als je onder de onthoofder ligt.'

Vossung kookte van woede. Hij kon de toon waarop de stadsbestuurder tegen hem sprak niet verdragen, maar hij wist dat de man gelijk had. Bovendien was hij ervan overtuigd dat niemand Kristallijn kon innemen, met of zonder hulp van de slaven. De dood van slaven zou dus nutteloos zijn. Ongehoorzaamheid kon hem de kop kosten, de aanvoer van kristallen in gevaar brengen echter ook. Hij moest een verstandige beslissing nemen. Hij riep er een van zijn kapiteins bij.

'Laat alle slaven verzamelen op het binnenplein van het kamp. Iedereen moet het werk onderbreken. Kies willekeurig honderd mannen en stel ze in het midden van het plein op in rijen van twintig.'

De kapitein groette en vertrok om zijn opdracht uit te voeren.

'Misschien wil je aanwezig zijn om te zien hoe ik Kristallijn in de gunst van de Grootvorst hou,' zei hij tegen Birger Velghen. 'Ik zie je over een uur in het kamp.'

Tevreden met zijn ingeving liep hij naar buiten.

'Slaven!'

De stem van Siggurd Vossung bulderde over het plein. In dat

ene woord legde hij alle minachting die hij in zich had. Hij wilde dat de mannen en vrouwen wisten dat hij met hen kon doen wat hij wilde. Hij stond op een houten podium, zodat iedereen hem goed kon zien. Birger Velghen stond naast hem. Ze waren omgeven door lijfwachten. In het midden van het plein zaten honderd mannelijke slaven geknield in rijen van twintig. De mannen keken verward voor zich uit. Ze wisten niet wat ze misdaan hadden.

'In het westen van Zeneria hebben slaven het onzalige idee gehad in opstand te komen! Er is bloed gevloeid, vooral veel slavenbloed! Ik ben ervan overtuigd dat dergelijke ideeën alleen maar kunnen ontstaan wanneer de indruk bestaat dat zoiets ongestraft kan gebeuren.' Vossung liet opzettelijk pauzes vallen tussen zijn zinnen om er zeker van te zijn dat elk woord goed zou doordringen. 'Laat me één ding duidelijk maken. Hier zal zo'n actie niet ongestraft blijven!'

Op een teken van Vossung namen honderd soldaten plaats tussen de rijen geknielde slaven. Iedere soldaat ging met getrokken zwaard achter een slaaf staan.

'Deze mannen hebben niets misdaan,' zei Vossung. 'Maar zij worden gestraft omdat jullie kameraden in het westen in al hun dwaasheid zijn opgestaan tegen hun meesters.'

Vossung hief zijn arm in de lucht. De menigte toekijkende slaven werd onder schot gehouden door tientallen boog-schutters. Onrustig gemompel steeg op. De spanning was te snijden.

'Niemand zal Zeneria en de Skyrth iets in de weg leggen. Niemand!'

Vossung liet zijn arm zakken en de soldaten ploften hun zwaard in de nek van de weerloze slaven. De mannen zakten dood neer in het zand.

De overige slaven slaakten kreten van afgrijzen, vrouwen gilden. Sommige mannen trilden van woede en onmacht. Ongewapend konden ze echter niets beginnen tegen de talrijke soldaten.

'Laat niemand vergeten dat ik en ik alleen over jullie levens beslis!' riep Vossung.

Hij schonk geen aandacht meer aan de levenloze lichamen op de grond. De totale ontreddering bij de andere slaven raakte hem totaal niet. Hij had zichzelf duidelijk genoeg gemaakt, daar twijfelde hij geen seconde aan.

Vossung draaide zich om en beende met grote passen weg, nagestaard door de verblufte Birger Velghen. Direct daarna riep de commandant zijn kapiteins bijeen voor een vergadering. Er kwam een vijandelijke strijdmacht aan die in de pan gehakt moest worden. Vossung verheugde zich al op het strijdgewoel; hij kon zich het kermen van de talloze gewonden al voorstellen.

30.

Thom controleerde de knopen en knikte goedkeurend. De wachter die hem tot hier had gegidst zou zich niet kunnen bevrijden. Hij lag aan handen en voeten gebonden op zijn zij en de prop in zijn mond verhinderde hem te schreeuwen. 'Je zult moeten hopen dat ik daarboven de dood niet vind,' zei Thom. 'Ik ben je enige hoop om niet te verhongeren. Als ik terugkom, bevrijd ik je. Je hebt mijn woord.'

Met een radeloze blik in zijn ogen volgde de gevangene elke beweging die Thom maakte. Hij produceerde een gedempt geluid achter de prop toen Thom vertrok.

Het geboortehuis was in zicht. Thom kon Enea's aanwezigheid bijna voelen; hij wist zeker dat ze hier was.

De zes wachters die Yfe naar het geboortehuis hadden begeleid, waren de enige aanwezige mannen, de twee eunuchen die haar persoonlijke bedienden waren niet meegerekend. Een van hen zag Thom naderen. Meteen verwittigde hij de anderen. De zes gewapende mannen wachtten Thom op voor het huis.

'Wat moet je?' klonk het onvriendelijk.

'Ik kom iemand halen,' zei Thom rustig. Hij legde zijn handen op de zadelknop.

'Je armen wijd, zodat we je handen zien.'

Thom volgde het bevel op. Zijn gezicht verried geen enkele emotie.

'Ik wil jullie geen kwaad doen,' zei hij.

De wachters keken elkaar aan en begonnen te lachen.

'Dat is een hele geruststelling,' zei een van hen spottend. 'Dit huis is verboden terrein voor mannen. Maak dat je wegkomt.'

'Ik zei al dat ik iemand kom halen. Ik moet naar binnen.'

'Je krijgt exact tien tellen om je weg te scheren of we laten je kennismaken met de diepte van het ravijn.'

Thom bleef onbewogen zitten. Hij concentreerde zich op de energie die door zijn lichaam stroomde. Hij dacht aan de tempel op Cahaya, waar hij de Gave voor het eerst had gevoeld. De wachters trokken hun zwaard en maakten aanstalten om op hem af te komen.

'Jammer, je tien tellen zijn voorbij. Je hebt er zelf om gevraagd.'

Op dat moment lichtten Thoms handen op. Eén flits kwam in het gezicht van een wachter terecht en een tweede sloeg tegen de borst van een andere. Nog voor de overige wachters van hun verbazing waren bekomen, vuurde Thom twee nieuwe lichtstralen af in hun richting. Twee van hen stierven zonder een kreet te slaken. De twee wachters die nog in leven waren lieten zich op hun knieën vallen en smeekten om genade.

Thom liet zijn paard dichterbij komen. Hij torende boven de twee mannen uit.

'Ik geef jullie de kans om te blijven leven,' zei hij. 'Ga de berg af en kom niet terug. Tenzij jullie het lot van jullie vrienden willen delen.'

De wachters wierpen elkaar een korte blik toe. Ze kwamen snel overeind en renden naar beneden. Hun angst voor de magische lichtstralen was groter dan voor wat Yfe hun zou kunnen aandoen.

Thom steeg af en liep naar de grote houten deur toe. Tot zijn verbazing stelde hij vast dat die niet gesloten was. Hij kon hem eenvoudig openduwen en ging naar binnen. Hij liet de grote trap links liggen en liep naar de deur recht voor hem.

De meisjes op de bank keken geschrokken op en Talia slaakte een gilletje. Ze sloeg haar hand voor haar mond en het duurde even voor ze van haar schrik was bekomen.

'Wie ben jij? Jij mag hier helemaal niet zijn,' zei ze zo streng mogelijk. 'Ga onmiddellijk weg!'

Ze keek onzeker om zich heen, niet wetend wat te doen. Hier was ze niet op voorbereid. Achter Thom verscheen een van de eunuchen, die hoog begon te gillen zodra hij de indringer zag. Thom draaide zich om en trok in één beweging zijn zwaard.

'Hou je mond of ik doorboor je,' siste hij.

De eunuch sloeg zijn twee handen voor zijn mond en probeerde zijn eigen geluid te smoren. Hij beefde als een rietstengel.

'Thom?'

De stem klonk zacht en breekbaar, maar Thom herkende hem uit duizenden. Langzaam draaide hij zich om en hij sloeg geen acht meer op de trillende eunuch.

'Ben jij dat echt, Thom?'

Enea stond achter Talia en leek vastgenageld aan de grond. Thom stak zijn zwaard in de schede en liep op haar af. Hij drukte haar stevig tegen zich aan.

'Ik heb je gevonden,' fluisterde hij in haar haren.

Enea kon niets zeggen. Ze liet haar tranen de vrije loop. Haar lichaam schokte in zijn armen terwijl ze zich aan hem vastklampte als een drenkeling aan een stuk drijfhout.

'Wat is hier aan de hand?'

Thom maakte zich los uit Enea's omhelzing en zag een mooie, prachtig geklede vrouw in de deuropening staan. Gealarmeerd door het gegil was Yfe naar beneden gekomen. Een eunuch stond achter haar. De andere stond nog altijd bevend tegen de muur.

'Het spijt me, vrouwe,' begon Talia. 'Ik kon hem echt…'

Yfe stak haar hand op en gebood Talia te zwijgen.

'Wie ben jij?' vroeg ze. Haar stem klonk kil.

'Als je dat zo graag wilt weten, mijn naam is Thom. Ik ben gekomen om Enea naar huis te brengen.'

Yfe dacht razendsnel na. Ze hield haar masker van hooghartigheid op, maar ze kon het niet helpen dat ze aan de woorden van Herakla moest denken. *Het bloed komt van overzee…*

'Waar kom je vandaan?'

'Van het eiland vanwaar jullie Enea en vele anderen hebben

ontvoerd. We zijn gekomen om hen terug te halen,' zei Thom, terwijl hij Enea geruststellend over de schouder wreef. Yfe begon te grijnzen. Alles was nog niet verloren.

'Jij houdt van haar,' zei ze zacht. 'Ik zie het aan je ogen, aan je hele lichaam. Je komt haar halen omdat je van haar houdt.'

Thom was even van de wijs. Waarom zei ze dat?

'Arme dwaas,' lachte Yfe. 'Dacht je nou echt dat dit mooie kind op jou heeft zitten wachten?' Yfe deed een paar stappen naar voren. 'Heb je nog niet naar haar buik gekeken?'

'Blijf staan,' zei Thom.

Maar Yfe negeerde hem. Ze kwam dichterbij en streek Enea's jurk glad over haar lichtjes gewelfde buik.

'Moet ik het echt uitleggen? Of ga je het vragen aan dat lieve meisje van je? Wil je niet weten wie op haar heeft gelegen en haar dat kind in haar buik heeft bezorgd?'

Thom keek naar de buik van Enea, helemaal van slag. De gedachten die bij hem waren opgekomen toen hij over het geboortehuis hoorde, had hij verdrongen. Nu kon hij er niet meer naast kijken.

'Vraag haar eens of ze ervan heeft genoten. Vraag haar of het soms niet waar is dat ze verliefd was. Zo verliefd zelfs, dat ze met die man wilde weglopen.'

Thom keek Enea ontsteld aan.

'Vraag haar hoe kapot ze ervan is dat de vader van haar kind gemarteld en gedood is, omdat hij haar wilde ontvoeren.'

Thom liet Enea los. Die sloeg de handen voor haar gezicht en begon te huilen.

'Je bevindt je in het geboortehuis, dwaas. Elke vrouw hier verwacht een kind van een lid van de Skyrth. Stuk voor stuk hebben ze hun lichaam gegeven, ook jouw mooie Enea.' Yfe keek Thom minachtend aan. 'Je bent voor niets gekomen, idioot. Enea zal mee zorgen voor de toekomst van Zeneria. Voor jou is hier geen plaats.'

Bliksemsnel haalde Yfe een dolk tussen de plooien van haar kleed uit. Ze stootte krachtig naar Thom. Die sprong opzij en kon net op tijd verhinderen dat het vlijmscherpe lemmet hem doorboorde. Het metaal schampte af op zijn zij. Tijd om zijn zwaard te trekken kreeg hij niet, want Yfe haalde nogmaals uit. Deze keer raakte ze zijn arm. Thom stapte opnieuw opzij, maar struikelde. Hij viel met zijn hoofd tegen een lage tafel en bleef versuft liggen. Als een kat sprong Yfe boven op hem. Ze trok hem aan de haren en zette het mes tegen zijn keel. De scherpe punt drong door zijn huid en een druppel bloed welde op.

'Herakla had gelijk... op alle vlakken...' zei ze. 'Het bloed is van overzee gekomen om me te zoeken. Je bent me gevolgd tot hoog in de bergen, waar Herakla had gezegd dat ik veilig zou zijn. En kijk, ik ben inderdaad veilig. Want het is niet mijn bloed dat zal vloeien, het is het jouwe.'

Ze duwde harder door met het mes en een dun straaltje bloed stroomde uit de kleine wond.

'Ik ben niet alleen gekomen, heks,' zei Thom. 'Ook al dood je mij, anderen zullen je vinden.'

'Daar zou ik niet op rekenen, jongen. De Grootvorst zal zijn rijk niet uit handen geven.'

'Ons leger is overal. Het is een kwestie van tijd voor Zeneria-Stad valt.'

Thom blufte, maar hij moest tijd zien te winnen. Wachten op een moment waarop haar waakzaamheid verslapte.

'Zelfs als dat waar zou zijn,' antwoordde Yfe rustig. 'Dan nog zou het laatste woord aan de Grootvorst zijn. Hij heeft de macht om heel Zeneria te laten overstromen, terwijl hij zich met zijn getrouwen en met de kinderen op het hoogste niveau van het land, het veilige niveau, bevindt. Als het zover is, zal ik mij met plezier bij hem vervoegen om toe te kijken hoe jullie als ratten verdrinken.'

Ze genoot van Thoms verwarde blik.

'Ben je verbaasd? Velen zullen dat met jou zijn, vrees ik. Het bed delen met de Grootvorst heeft zo zijn voordelen. Zelfs de machtigste man is bereid zijn geheimen te delen tussen de lakens. De Tempelberg bevat een ingenieus systeem dat dit land drijvende houdt. Er bestaat een eeuwenoud verdedigingssysteem dat het hele land kan laten onderlopen, met uitzondering van de Tempelberg. Ach ja, de oude koningen van Zeneria dachten ook in de eerste plaats aan hun eigen hachje, vrees ik. Maar maak je geen zorgen om mij, hoor. Ik weet hoe ik daar snel kan komen. Hoe heb je je trouwens van mijn wachters weten te ontdoen? Maakt ook niet uit. Tragisch eigenlijk. Je komt dat hele eind naar hier, ziet kans om zes gewapende wachters te verschalken en dan word je gedood door een vrouw. Het leven zit echt vol verrassingen, vind je niet? Zo ver komen en dan, als je je doel bijna bereikt hebt, moeten sterven. Geef toe, het leven is wreed.'

Yfe lachte en verstrakte haar greep om het mes, klaar om Thoms keel te doorboren. Het volgende ogenblik ging er een schok door haar lichaam en haar ogen werden groot. Uit haar geopende mond liep een straaltje bloed over haar kin. Het mes viel uit haar handen en vruchteloos graaide ze naar haar rug, waar de kachelpook uitstak die Enea er had ingeramd. Haar lichaam schokte terwijl ze verwoede pogingen deed om overeind te komen. Ze keek om naar het meisje dat achter haar stond te trillen op haar benen.

'Dat is voor alles wat je ons hebt aangedaan, heks,' zei Enea hees.

Yfe stak een krachteloze hand naar haar uit en viel toen opzij. Ze bleef Enea aanstaren, alsof ze niet kon begrijpen dat ze door zo'n eenvoudig meisje, een van haar eigen slavinnen nog wel, was verslagen. Toen zakte haar hoofd opzij. Het bloed had haar ingehaald.

31.

Thom kwam overeind en voelde aan zijn zij. Zijn hand zat vol bloed. Hij keek Enea aan, maar zag toen de vrouw vluchten die geprobeerd had hem weg te sturen. In een reflex zette hij de achtervolging in.

'Blijf hier!' riep hij.

Talia dacht er niet aan te blijven staan. Ze rende door de gang naar de badruimte. Daar gleed ze uit en ze kwam bijna in het water terecht. Thom zat haar op de hielen. Talia krabbelde overeind en rende verder. In de grote leefruimte duwde ze een zwangere vrouw opzij die haar voor de voeten liep. De vrouwen in de kamer slaakten verschrikte kreten. Thom won snel terrein. Net toen hij dacht dat hij Talia te pakken had, trok die een grote kandelaar tegen de grond. Thom kon het gevaar niet meer ontwijken en struikelde. Zonder te aarzelen holde Talia de hal in en de trap af naar beneden. Ze kroop in de reiscapsule nog voor het luik helemaal open was. Ze slaagde er in het luik opnieuw te sluiten voor haar achtervolger haar opnieuw had ingehaald.

Hijgend sloeg Thom met zijn vlakke handen tegen het luik dat hij zonet had zien dichtgaan, maar het ding bewoog niet.

Talia drukte op de centrale knop. Het kristal in het bedienings-
paneel lichtte fel op en een zoemend geluid vulde de capsule.
Ze kromp ineen toen ze de harde klap op de romp van de
capsule hoorde. Toen trok ze de hendel naar zich toe. Het
gezoem werd luider en de haartjes op haar armen kwamen
overeind. Ze zuchtte opgelucht toen ze de lichte schok
voelde waarmee de capsule zich in beweging zette.

Thom kon zijn ogen niet geloven. Het metalen ding begon
te zoemen en er ging een zindering doorheen die vonken aan
zijn handpalmen ontlokte. Geschrokken deinsde hij achteruit. Het volgende ogenblik schoot de capsule met een zucht
een lange, donkere tunnel in.
Toen Thom terug boven kwam, stonden de vrouwen en de
twee eunuchen hem op te wachten in de hal. Thom keek
hen hijgend aan. Hij stapte op Enea af, maar die draaide
zich om en liep huilend weg. Thom liep achter haar aan. Hij
greep haar bovenarmen vast.
'Vertel me wat hier gaande is, Enea,' zei hij.
Met betraande ogen keek ze hem aan. Ze schudde droevig
haar hoofd.
'O Thom,' zei ze zacht. 'Ik dacht dat ik je nooit meer terug
zou zien.'

32.

Siggurd Vossung reed voorop. Hij was een trotse aanvoerder die zijn manschappen wilde laten zien dat zijn moed onovertroffen was. Dat hij nog nooit een echte open veldslag had meegemaakt, deerde hem niet. Sinds de Skyrth de macht op Zeneria had overgenomen, beperkten de activiteiten van het leger zich voornamelijk tot het tussenbeide komen in acties van de Koningsgezinden. Kleine schermutselingen, meer niet. Het vooruitzicht op een echt treffen met een grote legermacht deed hem trillen van opwinding. Zijn hele leven droomde hij al van een grote veldslag, waarin hij kon bewijzen dat hij de grote, onoverwinnelijke Vossung was.

Ongeduldig keek hij achterom naar de infanterie. De soldaten marcheerden flink door, maar voor de ruiterij was dit een enerverende slakkengang. Vossung gebaarde zijn kapitein naast hem te komen rijden en zei: 'We rijden alvast voorop.'

'Heer?'

'Een verrassingsaanval. We delen een prik uit aan hun voorhoede en voor ze van de verrassing zijn bekomen, zijn we alweer weg.'

De kapitein keek zijn bevelhebber verwonderd aan. 'Als we ons losmaken van de infanterie zijn we onze rugdekking kwijt, heer,' zei hij voorzichtig.

'Ben je bang?' vroeg Vossung giftig. 'We hebben de best getrainde ruiterij van Zeneria. Het vijandige leger bestaat voornamelijk uit een samenraapsel van ontsnapte slaven zonder enige gevechtservaring. Dit wordt nauwelijks meer dan een intensieve oefening, kapitein. Geef het bevel. We rijden in rijen van vijf!'

Even later daverde de grond onder de hoeven van honderd paarden die tot een draf werden aangespoord.

De grote stofwolk kondigde de komst van de vijand aan. Chyanna schreeuwde haar bevelen en onmiddellijk kwam iedereen in beweging om de vooraf bepaalde strategie in praktijk te brengen. Veertig Cahayaanse strijdsters reden voorop en verscholen zich tussen de bomen langs de weg en achter de lage struiken aan de zeekant. Ze namen hun bogen in de aanslag en staken de pijlen met de punt in de grond. Het leger kwam tot staan en de linies werden gevormd. In de vorm van een wig bezetten met schilden uitgeruste mannen en vrouwen de totale breedte van de weg. De bomen aan de ene kant en de struiken en grote rotsblokken aan de andere kant vormden een grens waar paarden niet langs konden.

De strategie die Chyanna pas had uitgedokterd zou meteen haar deugdelijkheid moeten bewijzen. Haar geduld werd niet lang op de proef gesteld. Eerst werd een donkere vlek zichtbaar in de stofwolk en toen kon ze aparte, bewegende figuren onderscheiden. Opgelucht stelde ze vast dat haar grootste vrees niet bewaarheid werd: ze zag gelukkig geen lansen. Dat vergrootte haar kans op succes enorm.

Op haar teken knielde iedereen achter zijn schild. Elke linie hield het schild boven de hoofden van de linie ervoor. Hoe dieper in de wig, hoe meer zwaarden de vijand opwachtten.

'Hou stand, denk aan het plan!' riep Chyanna, terwijl ze achter haar troepen langsliep. 'Houd moed!'

De grond begon te daveren; het leek alsof de donder kwam aanrollen.

'Nog niet!'

De ruiters naderden snel. De paarden kwamen in volle galop op de geknielde manschappen afgestormd.

'Nog niet!' riep Chyanna weer. 'Wachten!'

Ze hield haar hand hoog in de lucht, zodat ook de verdekt opgestelde boogschutters haar teken goed konden zien. Haar hand trilde een beetje, maar of het was van opwinding of van angst kon ze zelf niet uitmaken.

Siggurd Vossung zag de vijand voor zich uit op de weg. De dwazen probeerden de weg gehurkt te versperren, stelde hij met een grijns vast. Met vijf paarden naast elkaar vulde zijn cavalerie de hele breedte van de weg. Ze zouden hun vijanden neermaaien als uit hout gesneden miniatuursoldaatjes. In het midden hadden ze zelfs een opening gelaten, alsof ze Vossung en zijn mannen wilden uitnodigen om zo diep mogelijk door te dringen. Wie hun aanvoerder ook was, hij was gek en onbekwaam. Als hij zo iemand onder zijn bevel had, liet hij hem executeren.

Vossung trok zijn zwaard en zijn mannen volgden zijn voorbeeld. Dit zou meer dan een prik worden; Vossung zou de dwazen trakteren op een dodelijke aframmeling. Hij stak zijn zwaard eerst in de hoogte en toen recht vooruit. Zijn strijdkreet werd overgenomen door de mannen naast en achter hem. De adrenaline gierde door zijn aderen. Het leek wel of hij zijn hele leven op dit moment had gewacht. Misschien moesten ze zich maar niet terugtrekken en in plaats daarvan de vijand gewoon in één keer vermorzelen, schoot het door zijn hoofd.

De ruiters reden tussen de boogschutters door, recht op de voorste linie af. De eerste paarden galoppeerden al voorbij de boogschutters toen Chyanna het teken gaf.
'Nu!' brulde ze, terwijl ze haar arm liet zakken.
Veertig pijlen zoefden door de lucht en doorboorden lederen kurassen, boorden zich in de flanken van paarden en in de onbeschermde benen van hun ruiters. Gewonde paarden hinnikten en mannen schreeuwden het uit van pijn. De geknielde voorste verdedigers stoven uiteen, vóór de ruiters die niet getroffen waren door de pijlenregen naar hen konden uithalen. Overtuigd dat de formatie brak uit angst, spoorde Vossung zijn paard nog harder aan, zich niet bewust van wat er achter hem gebeurde. Zodra de paarden voorbij waren, sloot de wig zich, waardoor de ruiters letterlijk gevangen werden in een kluwen van hakkende strijders. In één kort moment waren de aanvallers prooi geworden. Door de

ruimte heel snel te verkleinen, ontnamen de verdedigers de paarden alle bewegingsruimte. De dieren trappelden angstig ter plaatse en hinnikten luid. Strijdsters en bevrijde slaven vochten met dezelfde overgave. De ruiters hadden het voordeel van hun hogere positie, maar hier en daar werden benen vastgegrepen om hen uit het zadel te trekken. Slaven sneuvelden onder de beukende zwaardslagen en stampende hoeven, maar hun overmacht was te groot. Steeds meer ruiters beten in het zand.

Vossung besefte dat hij regelrecht in een val was gereden. In één oogopslag zag hij dat hij veel ruiters verloren had. Hoe dat zo snel had kunnen gebeuren, begreep hij niet, maar al snel had hij nog maar één gedachte: ze moesten zo snel mogelijk weg.

'Kapitein!' brulde hij. 'Hergroeperen! Terugtrekken!'

Terwijl hij woest met zijn zwaard om zich heen maaide, ving hij de blik van zijn kapitein op. Daarin was paniek te lezen, maar heel even dacht de commandant ook een zweem van afkeuring te zien. De kapitein schreeuwde een bevel, toen hij plotseling werd onderbroken door een zwaardpunt in zijn hart. De man tuimelde dood van zijn paard.

Vloekend gaf Vossung een ruk aan de teugels en hij stampte hard in de flanken van zijn paard. Het dier steigerde geschrokken en deed zo de aanvallers uit elkaar wijken. Meer had Vossung niet nodig om een doorbraak te forceren. Luid schreeuwend vocht hij zich een weg naar de buitenkant van de menselijke val, gevolgd door een tiental van zijn mannen. Vossung sloeg een laatste man neer die hem de doorgang wilde versperren, gaf zijn paard nogmaals de sporen en vluchtte weg. Hij keek achterom, luid vloekend om de vernederende nederlaag. Toen hij weer voor zich uitkeek, zag hij over de hele breedte van de weg een dubbele rij boogschutters staan. Nog voor hij kon reageren, doorboorde een pijl zijn schouder en een andere plantte zich recht in zijn borst. Om hem heen vielen zijn mannen uit het zadel. De pijn verbijtend slaagde Vossung erin zijn paard in toom te houden. Hij liet het dier om en om draaien, maar hij zag dat hij ingesloten was. Wanhopig keek hij over de hoofden of zijn voetleger al naderde. Maar zijn mannen zouden te laat komen. Zijn leger was niets meer dan een grote, donkere vlek die zich tergend traag over de weg bewoog.

Hij sloeg dubbel toen nog een pijl zich in zijn maag, en een vierde zich in zijn dijbeen boorde. De pijn maakte dat hij niet helder meer kon denken. Met een uiterste krachtinspanning dreef hij zijn paard in de richting van de boogschutters, maar voor hij hen kon bereiken werd hij door nog vier pijlen geraakt. Zijn zwaard viel op de grond en hij liet de teugels los. Zijn paard bleef snuivend staan.

Vossung zwijmelde en vocht om bij bewustzijn te blijven. Misschien konden ze zich beter terugtrekken achter de muren van de stad, dacht hij. Ja, dat was een goed idee. De vijand daar opwachten. Ze zouden in het voordeel zijn.

Alles werd wazig voor zijn ogen. Hij viel opzij en tuimelde

van zijn paard. Met spijt bedacht hij zich dat hij zijn grote overwinning nu wel nooit zou behalen. Toen stierf hij.

Gejuich steeg op uit de rangen van de opstandelingen. Chyanna zuchtte opgelucht. Haar strategie had niet gefaald. Haar hart maakte een sprongetje toen ze eraan dacht hoe trots Lovennia zou zijn op haar sectieleidster. Chyanna was blij dat ze Cahaya en de God van het Licht eer aan had gedaan.

33.

Thom spreidde de deken voor Enea, zodat ze tenminste een illusie van zachtheid zou hebben tussen haar lichaam en de harde rotsbodem. Hij had zijn belofte gehouden en de wachter die hij had achtergelaten van zijn boeien bevrijd. Zonder paard zou het de man dagen kosten om de stad te bereiken, dus hij vormde geen gevaar. Hetzelfde gold voor de twee wachters die hij had laten gaan. Met Enea achterop had Thom de afdaling naar Zeneria-Stad aangevat.

Toen de nacht viel had hij, de woorden van zijn gids indachtig, beslist om kamp op te slaan. Hij maakte een vuurtje om de kilte te verdrijven en dekte Enea toe met de tweede deken die hij had meegenomen.

'En jij?' vroeg Enea.

'Ik heb het niet koud.'

'Vertel geen onzin, Thom. Kruip mee onder de deken. Dan kunnen we elkaar verwarmen.'

Thom keek haar aarzelend aan. Bedoelde ze daar iets mee? Hoe dan ook, hij wist dat de nacht op de berghelling behoorlijk koud kon worden. Hij pookte nog wat in het vuur en kroop toen bij Enea. Hij ging op zijn rug liggen en verstijfde toen Enea dichterbij schoof.

'Wat is er?'

'Niets.'

'Je verkrampt helemaal.'

'Niet waar,' zei Thom.

Er volgde een lange stilte, waarin Thom niet kon slapen. Hij staarde naar de heldere sterrenhemel.

'Waar denk je aan?' vroeg Enea na een tijdje.

'Niets.'

'Helemaal niets?'

'Helemaal niets.'

Weer een ongemakkelijke stilte.

'Ik kan niet slapen,' zei Enea ten slotte. 'Jij?'

'Ik ook niet.'

Enea legde haar hand op Thoms borst. Hij voelde hoe zijn hart sneller begon te kloppen en was bang dat zij het ook zou merken.

'Ik wou ook dat het anders was gelopen, Thom,' zei Enea zachtjes. 'Ik bedoel… als Reikon niet was gekomen… jij en ik… ik voelde veel voor jou.'

Thom pakte haar hand vast.

'Ik dacht echt dat je dood was,' zei ze. 'Ik had nooit gedacht dat ik je nog zou terugzien. Anders zou ik…'

Ze sprak niet verder, bang om woorden uit te spreken die te pijnlijk waren. Thom kneep in haar hand en bracht die naar zijn lippen. Hij drukte een zachte kus op haar vingers.

'Ik hou van je,' fluisterde hij.

Enea leidde zijn hand zachtjes omlaag en legde hem op haar gezwollen buik. 'Alles is veranderd nu,' zei ze. 'Ik kan de klok niet terugdraaien.'

'Zou je dat doen als je het kon?'

'Naar de periode vóór Reikon naar ons eiland kwam? Direct.'

'En hier? Kun je de klok van je gevoelens terugdraaien nu we hier zijn?'

Enea zweeg.

'Ik wil voor je zorgen, Enea. Voor jou en voor je kind.'

Thom bracht zijn hand naar haar wang en kwam dichterbij om haar te kussen. Maar Enea draaide haar hoofd weg.

'Het spijt me, Thom,' zei ze. 'Ik kan het niet. Nog niet. Het is allemaal te… verwarrend. Geef me wat tijd… alsjeblieft.'

Thom legde zijn hand terug naast zijn lichaam. Hij was bereid haar tijd te geven. Ze was de moeite van het wachten waard. Hij was zich niet bewust van de tranen die langs haar gezicht rolden.

Nog voor de zon de nacht helemaal had verdreven, was Thom al wakker. Hij schoof voorzichtig onder de deken uit en pakte twee appels en twee haverkoeken uit de zadeltas. Dat moest hun voldoende energie geven om de tocht naar de stad verder te zetten. Het paard graasde van het taaie gras dat hier en daar tussen de rotsen groeide.

Hij wekte Enea en ze aten in stilte. Het korte gesprek van de vorige avond had hen allebei bang gemaakt hun gevoelens nog verder met elkaar te delen. Na het geïmproviseerde ontbijt pakte Thom de dekens bij elkaar. Hij hielp Enea in het zadel en steeg zelf ook op. Zodra ze op weg waren, zette hij zijn gevoelens opzij. Hij moest zich nu concentreren op wat ze moesten doen als ze in Zeneria-Stad aankwamen. Een echt plan had hij niet. Hij wist alleen dat hij zo vlug mogelijk bij Jari moest zien te komen.

'De beste weg is over zee, denk ik,' zei Thom toen ze in de namiddag de stad naderden. 'Ik heb mijn bootje achtergelaten buiten de haven. Met wat geluk ligt het er nog. Bovendien heb ik geen flauw idee hoe we over land in Kraukar kunnen komen. We weten de weg niet en bovendien zullen alle wegen afgesloten zijn. De kans dat we op troepen van de Skyrth stuiten is heel groot.'

'Wou je dan gewoon te paard de stad in rijden?'

Thom schudde zijn hoofd. Ze zouden onmiddellijk opvallen. 'Nee, we laten het paard vrij en gaan te voet verder.'

'Weet je de weg?'

'Ik vind hem wel terug.'

Ze reden verder tot de rand van de stad en lieten het paard gaan. Thom pakte een kleine tas mee met het beetje mondvoorraad dat hun restte.

Hand in hand liepen ze de stad in. Enea legde een hand beschermend op haar buik.

'We komen er wel,' zei Thom bemoedigend. Het was alsof hij haar onrust voelde. 'Deze weg herken ik. Hij loopt naar de villa.'

Enea volgde zijn blik en het beeld van Jorund dook voor haar op. Ze beet op haar tanden om de herinnering weg te duwen. Ze moest accepteren dat hij er niet meer was. Het enige wat ze nog voor hem kon doen, was zijn kind in veiligheid brengen.

Naarmate ze dichter bij het centrum kwamen, nam de drukte toe. Ze zochten kleinere steegjes op om de soldaten die overal door de brede straten liepen te ontwijken. Enea hoopte maar dat niemand aandacht aan hen zou schenken. Elke keer wanneer ze iemand tegenkwamen, was ze bang dat het een klant van de villa zou zijn. Ze keek naar de grond in de hoop zo onzichtbaar te worden.

'We moeten hierlangs,' zei Thom.

Hij deed het niet graag, want zo zouden ze een brede straat moeten oversteken, maar hij kon beter de weg volgen die hij zich herinnerde om niet verloren te lopen in de kleine steegjes.

'Thom!'

Enea en Thom bleven allebei hevig geschrokken staan.

'Jij bent het echt!' Een man kwam op hen afgelopen. Enea verstijfde, maar Thom stelde haar gerust. 'Miko is een Koningsgezinde,' zei hij. 'Het is in orde.'

'Hoe kom jij hier?' vroeg Miko. 'En wie is dit?'

'Dat is een lang verhaal,' antwoordde Thom. 'Veel te lang. We moeten zo vlug mogelijk naar Kraukar.'

'Volg me,' wenkte Miko. 'Ik weet een plek waar we veilig kunnen praten.'

Thom en Enea liepen snel achter Miko aan.

'Is hij te vertrouwen?' vroeg Enea. 'Ik heb een slecht gevoel.'

'Ik heb hem ontmoet in Kraukar. Hij heeft mee de aanvals-plannen uitgetekend. Maak je geen zorgen.'

Thom keek zo intens om zich heen om zeker te weten dat ze

niet gevolgd werden, dat hij pas merkte dat ze voor een deur stonden toen Miko zei: 'Kom mee naar binnen.'

Thom liet Enea voorgaan en stapte toen ook naar binnen. Ze waren in een herberg die hem bekend voorkwam. Toen hij de dienster bij de toog zag, wist hij waar hij was.

'Alexi.'

'Wat zei je?' vroeg Miko. Hij zag er geschrokken uit.

'Ik ben hier geweest. Enkele dagen geleden nog maar. Dat meisje heet Alexi.' Thom moest moeite doen om zijn ademhaling onder controle te houden. 'We moeten hier weg. Het is hier niet veilig.'

'Waar heb je het over?'

Thom greep Miko's arm. 'We moeten hier weg, zeg ik je. Ik heb hier iemand van de Skyrth ontmoet die hier vaste klant is. Ik wil geen Skyrth-leden tegen het lijf lopen.'

Intussen kwam Alexi op hen afgelopen. Ze glimlachte breed naar Miko en toen ze naar Thom keek, verscheen er een blik van herkenning in haar ogen. Naar Enea keek ze nauwelijks.

'Ha, jij bent er ook weer. Kies maar een tafel uit, hoor. Plaats genoeg. Het is nog vroeg. Kan ik jullie iets te drinken brengen?'

Miko aarzelde. Thom keek hem onderzoekend aan.

'O ja,' zei Alexi. 'Kjell heeft naar je gevraagd. Dat komt goed uit. Hij zou nog langskomen. Ik verwacht hem elk moment.'

'Kjell?' vroeg Thom. 'Ken je Kjell?'

Miko's ogen flitsten van Thom naar Alexi. Hij had niet meteen een antwoord klaar.

'Thom, wat is er aan de hand?' vroeg Enea angstig.

'Ik heb hier met een man van de Skyrth gepraat. Hij heette Kjell.' Voor Thom iets tegen Miko kon zeggen, ging de deur open en stapte Kjell naar binnen.

'Ha Miko, jou zocht ik,' zei Kjell opgewekt. Hij merkte Thom op en wilde nog iets zeggen, maar toen hij Enea zag viel zijn mond open.

Toen Enea Kjell herkende slaakte ze een kreetje en sloeg haar hand voor haar mond. Thom greep naar de dolk in zijn riem, maar een vuistslag tegen zijn slaap wierp hem tegen de grond. Verdwaasd vocht hij tegen de sterretjes die hem het bewustzijn wilden afnemen. Enea begon te gillen, maar Kjell greep haar stevig vast en drukte zijn hand tegen haar mond. Enea gaf zich niet zomaar gewonnen. Ze beet hard in de hand. Met een kreet van pijn liet Kjell haar los.

'Au! Vuile hoer!' Met de rug van zijn andere hand sloeg hij haar hard in het gezicht. Enea verloor haar evenwicht en viel tegen een tafel.

Gealarmeerd door het kabaal kwam de potige herbergier uit zijn keuken gelopen. 'Wat is hier aan de hand?' riep hij met bulderende stem.

'Spionnen,' zei Miko. 'Bind hen vast!'

Terwijl de herbergier zich naar achteren haastte om touw te halen, kwamen nog twee mannen de herberg binnen.

'Help ons een handje! We hebben twee spionnen te pakken.' Het feit dat het bijna ontsnapte meisje van de villa in Thoms gezelschap was, gaf Kjell reden genoeg om aan te nemen dat Thom niet te vertrouwen was. Hij gaf hem een gemene trap tegen de ribben.

'Dat is omdat je mijn vertrouwen beschaamd hebt,' siste hij.

De pijn deed Thom in elkaar krimpen.

'Houd hen in bedwang!' zei Miko. 'Ik haal de paleiswacht en laat hen in de kerker opsluiten. Raadslid Smidsung zal verheugd zijn dat hij een van de leiders van de opstand in handen heeft.'

Hij liep naar buiten en stak de straat over naar het paleis. Hij glimlachte. Het lot was hem steeds beter gezind. Nadat hij de paleiswacht had verwittigd zou hij zich meteen naar Kraukar haasten. Het nieuws dat Thom gevangen was genomen zou de ontmoediging bij de aanvallers groot maken. Miko kon het nauwelijks geloven: eerst Kristallijn en nu dit. Als het zo verder ging zou hij in zijn eentje verantwoordelijk zijn voor het onderdrukken van de opstand. Wie weet zou de Grootvorst hem wel raadslid maken.

34.

Thom werd door de twee nieuwkomers overeind getrokken. Ze hielden zijn beide armen op zijn rug geklemd. De waard kwam aangelopen met een touw. 'Ik heb er maar één,' zei hij.

'Maakt niet uit,' zei Kjell. 'Dat grietje hier hou ik zo wel in bedwang. Trouwens, ik heb nog wel even de tijd om me goed met haar te amuseren voor de paleiswacht komt, niet, duifje?' Hij toonde een gemene grijns en Enea kromp in elkaar.

Alexi stond wat verderop toe te kijken. Ze gruwde van Kjells uitspraak, maar ze deed niets. Waarom zou ze ook? Ze had met dat meisje niets te maken.

De anderen lachten. Ook de waard wierp Kjell een grijns toe. Enea kwam overeind en deinsde achteruit, maar een tafel belette haar weg te komen. Kjell greep haar bij de haren en trok haar hoofd naar achteren zodat ze met haar rug op de tafel terechtkwam. Hij probeerde haar rok omhoog te trekken, maar Enea stribbelde uit alle macht tegen.

Thom zag alles gebeuren in een waas. De verdovende klap tegen zijn slaap was nog niet helemaal uitgewerkt en het gegil van Enea snerpte door zijn hoofd. Achter hem stonden twee mannen hatelijk te lachen terwijl ze Kjell aanmoedigden in het ongelijke gevecht. De waard reikte het touw aan, zodat ze Thoms handen op zijn rug konden binden.

'Thom, help me!' gilde Enea.

Thom zag haar spartelen terwijl tranen van onmacht over haar gezicht liepen. Hij voelde de woede opborrelen: een kleine vonk die snel groter werd en door zijn aderen begon te razen als een laaiend vuur. Thom slaakte een bijna onmenselijke kreet en met ongekende kracht duwde hij de twee mannen van zich af. Een van hen knalde tegen een tafel aan en de andere viel op een stoel, die het krakend begaf. Met een gloeiende hand duwde Thom de verschrikte waard opzij. Die greep naar de verschroeide plek op zijn arm. En toen balde Thoms woede zich samen in een verblindende lichtflits. Het vuur trof Kjell met een verwoestende kracht: hij werd letterlijk van Enea afgeworpen en knalde tegen de muur aan. Alexi gilde zo hard ze kon. In de herberg stonk het naar verbrand vlees.

'Gaat het?' vroeg Thom. Hij voelde nog een tinteling in zijn handen, maar de hitte was verdwenen. Enea knikte.

'We moeten hier weg.' Thom pakte haar bij de hand en liep naar de deur. De waard en de twee mannen die hem hadden vastgehouden deden angstig een pas opzij. Ze hadden gezien wat hij met Kjell had gedaan.

'Waar moeten we naartoe?' vroeg Enea bang.

'Ik weet het ook niet. Weg uit het centrum!'

Ze liepen een paar steegjes door. Thom dacht maar aan één ding: zo ver mogelijk bij die herberg en bij de paleiswacht vandaan.

'Daar!' zei Enea ineens. 'Die herberg, *De Drie Vaten*. Ik herinner me die naam. Het is een ontmoetingsplaats voor de Koningsgezinden.'

Thom stopte en keek weifelend naar het huis dat Enea aanwees. Er was geen tijd om haar te vragen hoe ze dat wist. Misschien waren de Koningsgezinden de enige kans om hier levend uit te raken. Hij besloot het erop te wagen en trok Enea met zich mee.

Er was weinig volk in de herberg. Twee mannen zaten aan een tafel achterin te praten en aan een tafeltje bij de haard zat een derde man. Net als de waard keek hij vreemd op toen het behoorlijk verfomfaaide tweetal binnenkwam. De mannen achterin leken Thom en Enea niet op te merken.

De man aan het tafeltje pakte zijn kroes met beide handen en hield die voor zijn mond zonder te drinken. Daarbij gingen zijn ogen van het tweetal naar de waard.

'Kan ik iets voor jullie doen?' vroeg de waard.

'Misschien,' zei Thom. Hij keek argwanend naar de man met de beker, niet wetend of ze hier iemand konden vertrouwen.

Enea nam het woord: 'Kent u Jorund?'

De waard antwoordde niet, maar zijn blik zei voldoende. Hij keek even naar de man bij de haard en boog zich over zijn toog.

'Wie wil dat weten?' vroeg hij.

Thom besloot de man te vertrouwen. Veel keuze hadden ze niet.

'We zijn op de loop voor de Skyrth. Ze zijn naar ons op zoek.'

De waard wenkte de man bij het haardvuur. Die kwam erbij staan.

'De Skyrth zit achter hen aan, Léon,' zei de waard. 'Wie zijn jullie?'

'Hebt u een plaats waar we veilig kunnen praten? De paleiswacht kan hier zo binnenvallen,' zei Thom haastig.

'Waar is de kroon?' vroeg Léon.

Enea keek hem vragend aan, maar Thom aarzelde niet. Hij had het wachtwoord gehoord toen Miko vanuit Kraukar naar Zeneria-Stad werd gestuurd. De verrader had ongetwijfeld al hun plannen doorgebriefd aan de Skyrth.

'Meegevoerd op de golven,' zei hij. Daarbij keek hij Léon recht in de ogen.

De herbergier en Léon wisselden een blik van verstandhouding.

'Ga met Léon mee naar de kamer achter de toog,' zei de waard.

In het achterkamertje luisterde Léon met stijgende belangstelling naar Thoms verhaal. Geschokt vernam hij dat ze met een verrader aan tafel hadden gezeten. Daarom had de Skyrth geweten waar Kirsha woonde. Kerr was dus onschuldig. Hij had hem onterecht zo hard aan de tand gevoeld. Snikkend had de jongen volgehouden dat hij niet wist waar Léon het over had, maar Léon had hem niet gespaard. Op de duur had hij hem geslagen en zelfs geschopt, maar de jongen bleef erbij dat hij niets met de Skyrth te maken had.

Nu schaamde Léon zich om wat hij had gedaan.

'Ik moet naar Kraukar,' zei Thom. 'Zo vlug mogelijk. De Skyrth is ongetwijfeld op de hoogte van onze plannen. Lovennia en Jari moeten dat weten.'

'Eerst moet Kirsha dit horen,' zei Léon. 'Ze zal je willen zien. Ik breng jullie naar haar toe.'

Yara opende de deur op een kier. Toen ze haar neef herkende, liet ze hem en zijn twee gezellen vlug binnen.

'Waar is Kirsha?'

Yara wees naar boven. Léon wilde al de trap opgaan, maar Kirsha was hem voor. Ze had zijn stem herkend en kwam al naar beneden.

'Ik heb hier iemand die ik aan je wil voorstellen,' zei Léon. 'Dit is Thom, een van de leiders van de opstand.'

Bij het horen van die naam ging er een schok door Kirsha heen. Haar mond viel open en haar ogen vulden zich met tranen. De gelijkenis was treffend: hij had hetzelfde haar, dezelfde felle ogen als de vrouw die zij jarenlang had gediend. Zijn gezicht had dezelfde krachtige lijn als dat van koning Zenerius XV, zijn vader. Kirsha voelde zich licht worden in haar hoofd en ze liet zich op één knie zakken. Ze boog het hoofd.

'Majesteit,' zei ze zacht.

Thom wist niet wat hem overkwam. Enea, Léon en Yara staarden verbaasd naar Kirsha.

'Sta op, alsjeblieft,' zei Thom.

'Kirsha, wat…?' vroeg Léon.

Zonder haar ogen van Thom af te wenden zei Kirsha: 'Dit is de man op wie we al die jaren gewacht hebben. Hij is de reden van het bestaan van de Koningsgezinden.' De rillingen liepen over haar rug. 'Dit is de zoon van koning Zenerius en koningin Leila.'

'Hebt u… mijn moeder gekend?' vroeg Thom.

'Ik was haar dienares,' zei Kirsha en weer boog ze het hoofd. Toen knielden ook Léon en Yara met gebogen hoofd voor Thom.

'Alsjeblieft… doe dat niet,' zei Thom. 'Ik ben maar… ik wil niet dat jullie voor me knielen.'

'Thom, wat gebeurt er?' vroeg Enea. Ze greep zijn hand, zoekend naar houvast. Ze had het gevoel alsof de wereld onder haar wegschoof.

'Enea, ik…' Thom wist niet wat te antwoorden. Hoe moest hij haar vertellen dat hij de rechtmatige troonopvolger van Zeneria was? Ze zou denken dat hij gek was geworden.

Kirsha bezorgde hem uitstel. Ze keek naar Enea's buik en toen naar haar gezicht.

'Is jouw naam Enea?' vroeg ze.

Enea knikte.

'Waar kom je vandaan? Uit… de villa?'

'Hoe weet u dat?' vroeg Enea verwonderd. Ze was te over-donderd om argwaan te voelen.

'Ik denk dat je beter even mee naar boven kunt komen,' zei Kirsha. 'Ik moet je iets laten zien.'

Verward keek Enea naar Thom. Ze kneep wat harder in zijn

hand. Thom begreep haar vraag en ging met haar mee de trap op, achter Kirsha aan.

Boven opende Kirsha de deur van een slaapkamer. Rechtop in zijn bed zat een man met ingezwachtelde handen en een gezicht dat bont en blauw was. Enea deinsde achteruit met haar hand voor haar mond. Thom ving haar op en ondersteunde haar, bang dat ze door haar benen zou zakken.

Het werd Enea allemaal te veel. De tranen stroomden langs haar gezicht in een niet te stoppen vloed. 'Jorund!' bracht ze uit.

De man in het bed keek Enea aan en ook zijn ogen vulden zich met tranen. Hij fluisterde haar naam en stak zijn ingezwachtelde handen naar haar uit. Op onvaste benen kwam Enea dichterbij. Ze raakte voorzichtig de windsels aan, ging op de rand van het bed zitten en beroerde met haar vingertoppen zijn opgezwollen gezicht.

'Je bent het echt,' fluisterde ze tussen haar tranen door.

Hij knikte en drukte haar voorzichtig tegen zich aan. Hij sloot zijn ogen om haar beter te kunnen voelen. Enea begon hartsgrondig te snikken. Haar lichaam schokte in Jorunds armen.

In de deuropening stond Thom verslagen te kijken naar wat zich voor zijn ogen afspeelde. Niemand hoefde het hem uit te leggen. Hij wist dat hij Enea kwijt was.

Beneden beraadslaagden ze. Jorund, te zwak om uit bed te komen, was er niet bij.

'Dit nieuws zal inslaan als een bom,' zei Léon. 'Het zal onze mensen moed geven zoals ze die nooit hebben gevoeld. Ik laat het bericht verspreiden dat de troonopvolger in het land is. Het einde van de Skyrth is nabij.'

'Kraai niet te vlug victorie,' zei Thom. 'We hebben de Skyrth nog niet verslagen. Zeneria-Stad moet vallen. Ik moet naar Kraukar om de doorbraak te forceren. Ze hebben mij daar nodig.'

'Ik kan voor een escorte zorgen,' zei Léon. 'Geef me even de tijd.'

'Nee,' kwam Kirsha tussenbeide. 'Een grote groep kan niet ongemerkt reizen, zeker niet door oorlogsgebied. Ik zal meegaan.'

Léon keek haar verrast aan.

'Ik ben het mijn koningin verschuldigd,' zei Kirsha vastberaden.

'Zorg er hier voor dat de Grootvorst het paleis niet verlaat. We moeten tot elke prijs verhinderen dat hij naar de Tempelberg kan,' zei Thom. 'Weet je zeker dat hij nog hier is?'

'Wees gerust. Mijn mensen zijn in de buurt van het paleis. Als de Grootvorst was weggegaan had ik het als eerste geweten,' antwoordde Léon.

'En ik?' vroeg Enea.

Thom keek haar aan. Binnen in hem woedde een strijd, maar hij wist dat hij dit gevecht al had verloren.

'Jij kunt beter hier blijven,' zei hij. 'Je kind heeft al genoeg te verduren gehad. De reis is veel te gevaarlijk.'

Enea opende haar mond, maar sloot hem onmiddellijk weer. Thom stelde haar voor bij Jorund te blijven. Ze begreep dat hij wist dat ze voor Jorund zou kiezen. Haar hart werd verscheurd, maar Thom had gelijk. Jorund was de vader van haar ongeboren kind. Tranen vulden haar ogen terwijl ze zachtjes knikte en voorzichtig over haar buik streek.

35.

Raadslid Smidsung haastte zich naar de nieuwe vleugel van het paleis. Dit nieuws was onvoorstelbaar en zou mogelijk de hele loop van de opstand in een stroomversnelling brengen. Blij dat hij eindelijk goed nieuws had, wilde hij niet wachten om de Grootvorst op de hoogte te brengen tot de gevangenen in de kerker opgesloten zaten. Hij liep bij de raadsheer binnen zonder te kloppen. Gerolf Breitsang keek verstoord op van zijn werk.

'Ik moet de Grootvorst spreken,' zei Smidsung.

'Dat zal moeilijk gaan. Bij mijn weten heb je geen afspraak. Het is je wellicht niet onbekend dat de Grootvorst een hekel heeft aan onaangekondigd bezoek.'

'Geloof me, Breitsang, voor het nieuws dat ik breng zal de Grootvorst me met open armen ontvangen.'

'Wat is dat nieuws dan?'

Smidsung lachte. 'Nee, dat vertel ik hem alleen hoogstpersoonlijk. Je mag erbij zijn als hij het hoort. Daar zul je genoegen mee moeten nemen.'

Breitsang gromde iets tussen zijn tanden. Smidsung leek wel erg zeker van zijn zaak. Hij glunderde zelfs. Maar goed, nieuws dat de Grootvorst plezier deed, moest in deze dagen meer dan ooit gekoesterd worden. Op zijn korte beentjes ging Breitsang Smidsung voor.

Het raadslid moest zich dwingen zich aan te passen aan de langzame gang van Breitsang. Hij popelde om de Grootvorst het schitterende nieuws te melden. Toen ze door de vergaderzaal liepen en Breitsang op de deur van het kantoor van de Grootvorst klopte, kon Smidsung zijn hart in zijn borst voelen bonzen. De raadsheer glipte het kantoor binnen en sloot de deur achter zich. Enkele tellen later opende hij de deur opnieuw en gebaarde Smidsung binnen te komen. Met gebogen hoofd betrad raadslid Smidsung het kantoor van de machtigste man op Zeneria.

Smidsung kreeg een ongemakkelijk gevoel van de indringende manier waarop de Grootvorst hem aankeek met zijn donkere, priemende blik.

'Je wilde me dringend spreken. Welk nieuws mag dan wel zo belangrijk zijn dat je me onaangekondigd van mijn werk houdt?'

Met pretlichtjes in zijn ogen keek Breitsang toe hoe Smidsung bijna ineenschrompelde onder de macht die de Grootvorst uitstraalde. Hij kon er intens van genieten wanneer anderen de dwingende neerbuigendheid moesten ondergaan. Hij wist zeker dat niemand de flexibiliteit bezat om dat dag na dag, jarenlang, te kunnen verdragen. Het was een talent dat alleen hij bezat.

'Ik heb inderdaad groot en verheugend nieuws, Grootvorst,' begon Smidsung. 'Op dit eigenste moment rekent de paleiswacht een van de leiders van de opstand in.'

De Grootvorst zette zijn handen op het bureaublad voor hem en kwam overeind, een en al aandacht. Gesteund door deze reactie ging Smidsung verder.

'Hij werd opgemerkt door een van mijn spionnen. Die heeft hem naar de herberg *Het Gebroken Zwaard* gelokt en daar is hij overmeesterd. De paleiswacht brengt hem nu naar de kerker.'

Op het gezicht van de Grootvorst verscheen een uitdrukking die dicht in de buurt van een glimlach kwam.

'Wie is die spion?'

'Miko Windsung, heer Grootvorst.'

'Zorg ervoor dat hij passend beloond wordt.'

'Hij is nu op weg naar Kraukar om de opstandelingen te melden dat we hun leider hebben. Dat zal hen ontmoedigen.'

'Dat zal het zeker,' stemde de Grootvorst in. 'Een perfecte zet.'

Smidsung glunderde. Breitsang baalde; hij hield er niet van dat anderen pluimen kregen.

'Ik wil de gevangene onmiddellijk zien.'

'Zal ik hem hierheen laten brengen, Grootvorst?'

'Nee, ik wil hem in de kerker zien. Ik wil zijn angst ruiken.'

Hevig geschrokken dat de Grootvorst in hoogsteigen persoon de kerkers betrad, sprongen de twee bewakers op. Een van hen deed dat zo heftig dat zijn stoel achterover viel.

'Waar is de gevangene?' vroeg Smidsung.

De bewakers keken elkaar verwonderd aan.

'Ik… ik zal u voorgaan, heer… Grootvorst,' voegde een van hen er met een buiging aan toe.

De man liep voor de drie hoge bezoekers uit. Een raadslid, de Grootvorst zelf én zijn raadsheer; de bewaker begreep er niets van.

'Hier is hij, heer.'

Hij wees naar een cel waarin een oudere man in het halfduister zat. De gevangene keek heel even op en boog toen het hoofd weer.

'Ik dacht dat het over een jongeman ging?' vroeg de Grootvorst bars. 'Ik kan me niet voorstellen dat dit meelijwekkende wrak een opstand leidt.'

Smidsung trok bleek weg. Hij herstelde zich en vroeg aan de bewaker waar de andere gevangene was.

'Er is geen andere, heer. Deze man heeft gebak gestolen dat voor heer Breitsang bestemd was. Hij is veroordeeld tot veertig dagen in de kerker. Verder is hier niemand.'

De Grootvorst ziedde zichtbaar van woede en Smidsung begon te beven. Met binnenpret keek Breitsang toe hoe hij zich uit deze benarde positie probeerde te praten.

'Dit moet een misverstand zijn, Grootvorst. Ik had bevel gegeven de gevangene onmiddellijk naar de kerker te brengen. Misschien houden ze hem vast in het wachtlokaal.'

'Misschien? Misschien is een woord waar ik absoluut geen boodschap aan heb! Dacht je dat ik in dit hol afdaal om *misschien* een gevangene te zien? Ik eis volledige duidelijkheid, begrijp je dat, Smidsung?'

Zonder een antwoord af te wachten beende de Grootvorst naar de trap. Smidsung haastte zich achter hem aan terwijl hij zich uitputte in verontschuldigingen. Breitsang deed zijn best om hen te volgen. Hij genoot van de situatie. De bewaker bleef verward achter en fronste zijn wenkbrauwen.

In de gang kwam de kapitein van de paleiswacht Smidsung tegemoet. Zijn gezicht stond bedrukt en toen hij zag dat de Grootvorst erbij was veranderde zijn gelaatsuitdrukking in angst.

'Kapitein!' Raadslid Smidsung probeerde al zijn autoriteit in zijn stem te leggen, ook al werd hij verteerd door een onrustwekkend voorgevoel. 'Waar is de gevangene?'

De kapitein slikte en vermeed de Grootvorst aan te kijken.

'We hebben hem niet aangetroffen in *Het Gebroken Zwaard*, heer. Hij is ontsnapt… samen met het meisje.'

'Hoezo?' Smidsung had moeite om zijn stem onder controle te houden. Angst kneep zijn keel dicht.

'Hij heeft een van de mannen die hem in bedwang hielden gedood, heer. De anderen zeggen dat hij met vuur gooide. Zijn slachtoffer was helemaal verbrand.'

Voor Smidsung nog iets kon zeggen, barstte de Grootvorst uit in woede. Hij wees door het raam naar de binnenplaats, waar de onthoofder stond. 'Dat daar,' snoof hij, 'wacht op jouw hoofd. Bereid je maar voor, Smidsung! Ik wil die man! Dood of levend!'

Met een zwaai draaide hij zich om en beende weg. De kapitein keek Smidsung bleek aan, wachtend op orders.

'Doorzoek de hele stad,' zei het raadslid schor. 'Keer elk huis binnenstebuiten als het moet. Vind hem.'

De kapitein knikte en haastte zich weg. Smidsung leunde tegen de muur, terwijl zijn hart razend tekeerging. De enige manier waarop hij zijn hachje nog kon redden was door die gevangene te vinden. In stilte vervloekte hij Miko. Zonder hem zou hij zich nu niet in dit dodelijke parket bevinden.

36.

Kirsha was een perfecte gids. Ze meed de grote weg die naar Kraukar leidde en zorgde ervoor dat ze zo veel mogelijk beschut werden. Ze reden voornamelijk over bospaden. Om hun paarden niet af te jakkeren hielden ze een betrekkelijk rustig tempo aan. Thom moest zich inhouden om niet sneller te rijden, maar hij besefte wel dat ze aan uitgeputte paarden niets meer zouden hebben. Kirsha had moeite gehad haar zoon te overtuigen bij zijn zusje te blijven. Storm wilde zo graag deel uitmaken van de opstand, zeker nu de troonopvolger aan hun zijde vocht.

'Vertel me eens over mijn moeder,' vroeg Thom.

Kirsha keek naar de lucht, alsof ze de juiste woorden zocht.

'Waar zal ik beginnen, majesteit?'

Thom onderbrak haar meteen: 'Doe me een plezier en noem me niet langer majesteit. Ik voel me er niet comfortabel bij. Het is allemaal zo onwerkelijk.' In het bijzijn van deze vrouw die zijn moeder had gekend en die oud genoeg was om zijn eigen moeder te zijn, verdween het zelfvertrouwen dat de afgelopen tijd zo sterk gegroeid was. Bij Kirsha voelde hij zich meer een jongen dan een man. 'Mijn naam is Thom. Ik heb liever dat je me zo noemt.'

'Goed, Thom. Ik zal het proberen.' Kirsha zuchtte diep terwijl ze de herinneringen naar boven haalde.

'Koningin Leila was een goede vrouw. Ze was veel jonger dan je vader, maar ondanks haar jeugd had ze een natuurlijk gezag. Ze straalde een liefdevolle autoriteit uit. Haar bevelen uitvoeren was niet moeilijk; dat deed je niet omdat het moest, maar omdat je dat wilde. Elk bevel sprak ze uit alsof het een diepe wens was waarmee je haar een groot plezier kon doen. Ze was goed voor haar onderdanen, niet alleen voor de mensen uit haar onmiddellijke omgeving. Meer dan eens ging ze naar de armere wijken om er mensen troost te brengen en hen daadwerkelijk te helpen. Ze haatte het dat ze daarbij lijfwachten mee moest nemen. Het liefst, zei ze altijd, zou ze dat alleen met mij doen. Dat vond ze spontaner. Toen de Skyrth machtiger begon te worden, verbood de koning haar het kasteel nog te verlaten als het niet strikt noodzakelijk was. Daar leed ze onder, want Leila was een echte koningin van het volk. Elke dag dat ik voor haar gewerkt heb, deed ik dat graag. Ze was niet alleen mijn koningin, ik hield ook echt van haar. En soms dacht ik dat ze mij ook een beetje als een vriendin beschouwde. Ik zal het mezelf nooit vergeven dat ik haar niet heb kunnen redden.'

'Sprak ze soms over mij?'

Nu glimlachte Kirsha.

'Voortdurend. Je zou haar eerste kind worden. Ik herinner me nog levendig hoe ze me het nieuws vertelde. Nooit eerder had ik haar zo zien stralen. Ze was er absoluut zeker van dat je een jongen zou worden en ze zou je opvoeden tot de beste koning die Zeneria ooit had gehad, zei ze. Als ze rustte, legde ze altijd haar hand op haar buik. Dat deed ze ook elke keer als ze over je sprak. Ze hield zielsveel van je, al was je toen nog niet eens geboren.'

Thom luisterde dromerig terwijl Kirsha het uiterlijk van zijn moeder beschreef. Het beeld dat ze schetste kwam verbazend goed overeen met het beeld dat hij in zijn dromen had gezien. Hij vond het jammer dat de dromen de laatste tijd waren weggebleven. De steun van Leila was veel gaan betekenen voor hem.

'Ik wou dat ik haar gekend had,' zei hij zacht.

'Ik ben er zeker van dat haar ziel bij je is, Thom,' antwoordde Kirsha. 'Ze was zo sterk met jou verbonden, ze zou je nooit aan je lot overlaten.'

'Soms droomde ik van haar. Ze sprak tegen me. Maar de laatste tijd droom ik helemaal niet meer.'

'Je bent nu een man, Thom, sterk genoeg om op eigen benen te staan. Je hebt niemand meer nodig die je hand vasthoudt.'

'Ik zou haar nog zo veel willen vragen. Zij heeft de Gave in me wakker gemaakt, daar ben ik van overtuigd. Maar wat moet ik ermee?'

'Het is het bloed in jou dat spreekt, Thom. Het bewijst dat je echt de koning van Zeneria bent.'

Thom keek Kirsha strak aan.

'Ik weet helemaal niet of ik die Gave wel wil. Het enige wat ik ermee kan doen is mensen doden. Is dat dan zo koninklijk? Moet een koning niet veeleer opbouwen? Leven geven en kansen bieden in plaats van alles te vernietigen?'

'We zijn wie we zijn, Thom. Ook ik had me een ander leven voorgesteld. Het is nooit mijn droom geweest om een leidinggevende spil te zijn in een organisatie van opstandelingen. Maar het leven heeft me in die rol gedwongen, en ik moet de offers aanvaarden die dat van me vraagt. Zeneria kan niet bevrijd worden zonder bloedvergieten. Zeneria kan geen hoop krijgen als haar koning het niet duidelijk opneemt tegen de tirannie. Het vuur dat aan je handen ontspringt is meer dan een dodelijke kracht. Het vertegenwoordigt de hoop die Zeneria nodig heeft om te geloven in een nieuwe toekomst. En jij bent de enige sleutel tot die toekomst. Elke lichtstraal die uit je handen ontspringt, moet je zien als een nieuwe sprankel hoop. Door dat vuur te aanvaarden, aanvaard je je afkomst en schreeuw je uit dat je de zoon bent van je echte ouders, de koning en de koningin van Zeneria. Zonder jou is onze strijd verloren. Zonder jouw vuur verdwijnt al onze hoop.

Thom bleef zwijgend voor zich uit staren. Kirsha sprak over het doden van mensen alsof het er allemaal bij hoorde. Hij probeerde zich voor te stellen wat Leila zou zeggen als zij nu naast hem zou rijden. Misschien gewoon hetzelfde.

Ze stopten alleen om de paarden te laten rusten en bereikten Kraukar zonder problemen. Ze hoorden het strijdgewoel al voor ze iets konden zien. Thom had zelfs de indruk dat er een geur van bloed in de lucht hing.

'Vanaf hier wordt het moeilijk,' zei Kirsha.

Ze reden naar een heuveltop, vanwaar ze een goed uitzicht

hadden. Het dichtst bij de heuvel zagen ze een groot tenten-kamp van het Skyrth-leger. Het kamp lag tegen het bos aan. Voor het kamp lag een brede weg tussen de platgetrapte heide. Het fort lag langs de weg en versperde de doorgang naar Kraukar. Troepen belegerden het fort en pijlen werden heen en weer geschoten. Voorbij het fort, in de stad, werd blijkbaar ook gevochten. In de verte zagen ze de kustlijn. Er lagen meer schepen aangemeerd dan eerst.

'Ze hebben Kraukar omsingeld,' mompelde Thom. 'Ze zijn over zee gekomen.' Ontmoedigd keek hij naar de vijandige troepen die van overal leken te komen. 'Hoe moeten we ooit bij de anderen komen? Het lukt ons nooit daar ongezien door te raken.'

'Daar heb je gelijk in,' zei Kirsha. 'Ongezien niet.'

Thom keek haar verbaasd aan.

'Hoe dan wel?'

Kirsha bleef naar de vlakte voor hen kijken terwijl ze antwoordde: 'Jij bent de koning.'

Niet-begrijpend keek hij haar aan, maar haar woorden deden de haren op zijn armen wel overeind komen. Het was alsof hij Leila hoorde spreken.

'De Skyrth zal nooit een aanval vanuit de eigen rangen verwachten. Hun focus is volledig op het fort gericht. Ik stel voor dat we er dwars doorheen rijden. Gebruik de Gave. Voor ze van hun verrassing bekomen zijn, hebben we het fort al bereikt. Je zult angst zaaien en je eigen mensen zullen moed vatten.'

Thom keek Kirsha sprakeloos aan. Haar plan was stoutmoedig, maar ze had wel een punt. Dit was niet onmogelijk. Hij keek naar zijn handen en draaide de palmen naar boven.

'Je hoeft niet mee te komen,' zei hij toen. 'Het is gevaarlijk.'

'Leven ís gevaarlijk. Wie het risico nooit durft te omarmen zal nooit winnen. Ik heb ooit mijn koningin moeten achterlaten... nu blijf ik bij mijn koning.'

Als om aan te geven dat ze zich niet op andere gedachten zou laten brengen, trok ze een licht zwaard uit de schede die aan haar zadel hing.

'Ik weet hoe ik dit moet gebruiken,' zei ze.

Thom knikte. 'Langs welke weg kunnen we het beste gaan?'

'Volg me.'

Kirsha duwde met haar knieën in de flanken van haar paard en stuurde het naar beneden, de beschutting van de bomen in.

37.

Toen Thom en Kirsha de rand van het bos bereikten, trok het Skyrth-leger zich net terug uit de onmiddellijke omgeving van het fort. Ondanks verwoede aanvalspogingen waren ze er nog altijd niet in geslaagd het houten bolwerk te veroveren. Van tussen de bomen hadden Thom en Kirsha een goed zicht op de bewegingen van het leger.

'Geven ze het op?' vroeg Kirsha.

'Nee, kijk daar maar eens. Ze willen de poort rammen.'

Thom wees naar een enorme stormram, opgehangen in een ter plaatse in elkaar getimmerde houten stellage op wielen. Stevige kettingen hielden de zware boomstam, waaraan handvatten waren gemonteerd, op zijn plaats. Aan de handvatten namen twintig soldaten plaats; zij moesten met het logge ding tegen de poort beuken. Om de soldaten te beschermen was er een dak boven het houten raamwerk gebouwd.

'Daar zijn ze wel even mee bezig geweest,' zei Thom.

'Het ziet er stevig uit. Kan de poort dat houden?'

'Ik vrees van niet. Het ziet ernaar uit dat we net op tijd komen.'

De soldaten begonnen te juichen toen het gevaarte naar voren werd gereden. Ze waren ervan overtuigd dat hun kansen nu snel zouden keren.

'Wat als ze de poort niet voor ons opendoen?' vroeg Kirsha.

'We moeten erop vertrouwen dat ze mij herkennen. We zullen in ieder geval opvallen,' zei Thom.

Hij schatte de afstand in en wiste het zweet van zijn handen.

'Ben je klaar?'

Kirsha knikte en slikte haar angst weg.

'Oké, dan gaan we. Blijf dicht bij me.'

Thom gaf zijn paard de sporen en reed het open terrein op. Zijn zelfvertrouwen was weer helemaal terug. Hij dacht niet aan het gevaar. Hij had maar één doel voor ogen: het fort bereiken.

Thom en Kirsha reden korte tijd langs de tenten en de opnieuw oprukkende troepen. Toen stuurden ze hun paarden in galop tussen de soldaten door. Aanvankelijk schonk niemand aandacht aan de twee ruiters die als gekken door de rangen galoppeerden, maar toen Thom op het laatste ogenblik van koers wijzigde en recht naar de stormram toe reed, vulden waarschuwende kreten de lucht. Soldaten keerden zich naar de twee ruiters en hieven hun zwaarden.

'Rijd pal achter me aan!' schreeuwde Thom Kirsha toe.

Hij hield de teugels alleen met zijn linkerhand vast en met zijn rechterhand vuurde hij een lichtstraal af. De straal sloeg in als een bliksem en wierp enkele mannen tegen de grond. Van de verwarring maakte Thom gebruik om de stormram te bereiken. Met een ruk aan de teugels dwong hij zijn paard tot staan. Het dier steigerde. Op het gevaar af dat hij uit het zadel viel, opende Thom zijn beide handen. Twee felle licht-stralen sloegen in op de stormram. De stellage en het dak vatten onmiddellijk vuur en de soldaten haastten zich bij hun bouwwerk vandaan. Alles gebeurde in een flits. Zodra Thom de lichtstralen had afgevuurd, gaf hij zijn paard weer de sporen en reed, met Kirsha achter zich aan, in de richting van het fort. Een speer miste zijn hoofd op een haar. Blind slingerde hij een lichtstraal in de richting vanwaar de speer was gekomen. Wie hem de weg probeerde te versperren, maakte kennis met de Gave. Hij had nu geen enkele moeite meer ze op te roepen.

'Wij zijn er bijna door!' riep hij. 'Hou vol!'

Uit Thoms rechterhand schoot een nieuwe lichtstraal en schreeuwend repten mannen zich in veiligheid. Hij zag de man links voor hem niet, die met geheven zwaard naar hem toe liep. Kirsha zag het gevaar en schopte hard in de flanken van haar paard. Ze kwam net op tijd naast Thom rijden en maaide de soldaat met één zwaardhouw tegen de grond. Enkele tellen later reden ze door de voorste linie. Enkele tientallen meters scheidden hen nog van het fort. Ze zouden het halen. Thom hoorde een pijl vlak langs zijn hoofd suizen.

'Pas op, boogschutters! Ga in de nek van je paard liggen,' schreeuwde Thom tegen Kirsha.

Van achter de palissade van het fort werden ze nu luidkeels aangemoedigd. Thom vuurde zijn paard nog eens extra aan, toen hij ineens een luide kreet van pijn achter zich hoorde. Hij keek om en zag nog net hoe Kirsha uit het zadel viel.

Een pijl stak uit haar zij. Zonder ook maar één ogenblik te aarzelen trok Thom aan de teugels en wendde zijn paard. Pijlen vlogen hem om de oren. Toen hij bij Kirsha kwam, wierp hij een hele reeks lichtstralen naar de vijand. Zijn belagers stoven uit elkaar om zich in veiligheid te brengen. Thom sprong op de grond, tilde Kirsha op en hielp haar op zijn paard. Hij steeg zelf op achter haar en spoorde het dier onmiddellijk weer aan tot galop. Boven hem werd de lucht zwart van de pijlen. Maar de projectielen vlogen nu in de andere richting. Ze werden afgeschoten vanuit het fort om zijn vlucht te dekken. De poort zwaaide open en onder luid gejuich reed Thom het fort binnen.

'Verzorg haar!' riep hij nog voor hij was afgestegen.

Onmiddellijk schoten enkele handen te hulp. Kirsha werd voorzichtig van het paard geholpen en naar de ziekenboeg gebracht. Thom wachtte niet, maar liep meteen een trap op om de bewegingen van de vijand te zien.

'Thom!'

Jari omhelsde hem. 'Waar was je? Ik was doodongerust!'

'Later,' zei Thom.

Lovennia stond wat verderop en grijnsde hem toe. De God van het Licht had haar eens te meer laten zien dat hij aan haar kant stond. Het Skyrth-leger trok zich terug. De stormram werd verteerd door de vlammen en de tientallen gewonden van de vurige aanval werden weggedragen. Maar wat veel belangrijker was: Thoms actie had grote twijfel gezaaid onder de Skyrth-soldaten. Ineens vochten ze niet meer met gelijke wapens. Tegen magie waren ze niet opgewassen.

Ineens werd er alarm geslagen aan de andere kant van het fort.

'Dat is Reikon die weer aanvalt,' zei Jari.

'Reikon?'

'Ja, op de een of andere manier hebben hij en zijn mannen weten te ontsnappen. Ze proberen ons al dagen in de tang te nemen.'

Thom rende over de trans naar de zuidkant, gevolgd door Jari. Bezorgd keek hij naar de naderende troepenmacht. Hij schatte dat het zo'n vierhonderd mannen waren.

'In de stad wordt ook gevochten,' legde Jari uit. 'We dachten dat we daar veilig waren, tot Reikon kwam opdagen.'

'We moeten uit die tang zien te komen,' zei Thom. 'Lovennia, hoeveel paarden hebben we?'

'Hier in het fort veertig,' antwoordde Lovennia, die erbij was komen staan.

'Dan vallen we Reikon aan,' zei Thom beslist.

'Dat is gekkenwerk,' wierp Jari tegen. 'Dan staan we één tegen tien.'

'De paarden bieden ons een groot voordeel. Plus de verrassing… en dit,' zei Thom en hij liet zijn handpalmen zien. De woorden van Kirsha echoden nog na in zijn hoofd. Leila wilde van hem de beste koning maken die Zeneria ooit had gekend. Hij wilde zijn moeder niet teleurstellen.

'Als we Reikon kunnen uitschakelen, maken we een kans tegen de troepen aan de andere kant.'

Lovennia zei niets, maar knikte instemmend. Ze liep naar beneden en schreeuwde bevelen.

Even later stonden veertig ruiters klaar bij de zuidelijke poort. Thom steeg op en nam zijn plaats naast Lovennia in aan het hoofd van de ruiterij. Jari stond boven op de trans.

'Ze zijn nog honderd meter ver!' riep hij.

Lovennia gaf het teken. 'Open de poort!'

Het logge ding zwaaide open en met woeste kreten reden Thom en de strijdsters van Cahaya Reikon en zijn troepen tegemoet. Voor de vijand doorhad wat er gebeurde, waren ze al in hun midden. De jonge vrouwen hakten in op alles wat bewoog en Thom gooide onafgebroken met vurige stralen in het rond. In een poel van vuur en bloed zochten angstige mannen naar een manier om te ontkomen aan de dood die net onder die poort door was gereden.

'Jij!' brulde Reikon.

In zijn verminkte hand flikkerde een zwaard. Hij had het met lederen veters aan zijn hand vastgebonden om het niet te verliezen. Met een van haat vertrokken gezicht viel hij Thom aan. Thom liet zijn paard steigeren en Reikon kon maar net opzij springen om de hoef te ontwijken. Snel krabbelde Reikon overeind en hij maakte zich op om een tweede poging te wagen. Thom richtte zijn hand en een lichtstraal raakte Reikon in het gezicht. De man viel op de grond en kronkelde heen en weer van de pijn. Hij gilde het uit terwijl hij zijn verbrande gezicht met zijn handen bedekte. Thom trok zijn zwaard en leidde zijn paard naar Reikon toe.

Die keek hem vanuit zijn half weggebrande oogkassen aan. Hij wilde iets zeggen, maar kreeg geen woord over zijn weggebrande lippen. De arm met het nutteloze zwaard trilde. Het trillen verspreidde zich over zijn hele lichaam en al gauw lag Reikon te daveren en te schokken. Hij deed een laatste vruchteloze poging om zijn zwaard tegen Thom te heffen en liet zijn arm toen krachteloos naast zich vallen.

Als een koning op het slagveld wendde en keerde Thom zijn paard, alsof hij nooit iets anders had gedaan, terwijl hij lichtstralen om zich heen bleef gooien. De verrassing was inderdaad in hun voordeel en de magische lichtstralen veroorzaakten regelrechte paniek in de rangen van de vijand. Ondanks hun numerieke minderheid richtten de Cahayanen een ware slachting aan. De overlevenden probeerden te ontkomen in de richting van de stad, maar ze werden achtervolgd en ongenadig neergesabeld.

'De stad in!' schreeuwde Lovennia. 'Maak korte metten met dat gespuis!'

Opgehitst door de geur van bloed en geschroeid vlees voerde ze haar strijdsters aan en reed in de richting van de stad. Daar aangekomen schreeuwde ze, terwijl ze met haar zwaard om zich heen sloeg: 'Reikon is dood! Ze zijn verslagen!'

Haar strijdsters namen haar woorden over en zaaiden zo paniek onder de Skyrth-soldaten die nog in de stad vochten. Thom reed ook de straten in, maar hij merkte dat hij deze keer niets kon doen aan de moordlust van de Cahayanen en de bevrijde slaven die in de stad waren achtergebleven. Vooral de slaven waren vastbesloten de medestanders van de gehate Reikon om te brengen. Niemand kon hen nu nog tegenhouden. Tot diep in de nacht klonken er jammerkreten in de stad. Het gejammer eindigde steevast in doodsgereutel.

38.

'Ik begrijp er niets van,' zei Jari met een brede glimlach op zijn gezicht. 'We hadden je al opgegeven. Na het nieuws zonk zowat iedereen de moed in de schoenen.'

'Hoe ben je ontsnapt?' vroeg Lovennia.

Thom keek hen verward aan. 'Waar hebben jullie het over? Welk nieuws? Hoezo ontsnapt?'

'Gisteren kwam Miko hier aan,' legde Jari uit. 'Als bij wonder was het hem gelukt ongezien door de vijandelijke linies te komen om ons het nieuws te melden dat jij gevangengenomen was. Volgens hem zat je vastgekluisterd in de kerkers van het paleis van de Grootvorst.'

'Is Miko hier? Waar is die verrader?'

Nu was het aan Lovennia en Jari om verwonderd te kijken.

'Miko heeft ons in de val gelokt,' zei Thom opgewonden. 'Hij heult met de Skyrth. We konden ontsnappen voor de paleiswacht eraan kwam die hij op ons af had gestuurd. We hebben de hele tijd een verrader in ons midden gehad. Hij heeft ongetwijfeld al onze plannen doorgegeven.'

'Kristallijn!' riep Lovennia uit. 'De slaven in Kristallijn zijn gedood voor we ze konden bevrijden. Miko stuurde twee strijdsters om het nieuws te melden. Egon en Rogar, die hem begeleidden, zijn ook dood.'

'Je kunt er donder op zeggen dat die informatie vals is. Ik durf wedden dat Miko die twee mannen zelf heeft vermoord of hen in een val heeft gelokt. Hoe zit het nu dan in het oosten?'

'Chyanna bewaakt de weg. Volgens de boodschap van Miko benadrukte ze dat ze geen versterking nodig had. Met Reikon die ons in de rug aanviel, konden we hier ook iedereen gebruiken, dus hebben we niemand gestuurd.'

'We moeten Chyanna helpen,' zei Thom.

'Kristallijn is inderdaad belangrijk voor de Skyrth,' zei Gregor, die het gesprek volgde. 'Als we Kristallijn in onze macht hebben, staat Zeneria-Stad er helemaal alleen voor. We moeten elke mogelijkheid van hulp uit Kristallijn verhinderen.'

Jari vocht intussen met zichzelf. Opnieuw had hij iets belangrijks niet opgemerkt. Abu zou de verrader er zo tussenuit gehaald hebben. Waarom liet zijn voorhoofdchakra hem in de steek? Was hij misschien te ver verwijderd van de Moedersteen?

'Hoeveel mensen kunnen we missen?' vroeg hij uiteindelijk. Hij probeerde zijn innerlijke onzekerheid van zich af te schudden.

'Concentreren we ons eerst op Kristallijn?' vroeg Lovennia.

'We hebben de Skyrth net een zware slag toegebracht. Ik vind dat we direct moeten doorstoten naar Zeneria-Stad,' zei Thom.

'Wat jij hebt laten zien, heeft hen vast van hun sokken geblazen,' zei Gregor. 'Wees er maar zeker van dat elke soldaat in dat kamp al weet wat jij hebt aangericht. We mogen hun geen kans geven van hun schrik te bekomen. Als we ze tijd geven, vinden ze misschien een manier om zich tegen het vuur én tegen hun angst te wapenen.'

Lovennia knikte: 'Gregor heeft gelijk.'

Gezamenlijk overwogen ze de verschillende opties.

Uiteindelijk viel de beslissing: Jari zou met één sectie van Cahaya en driehonderd bevrijde slaven naar Kristallijn trekken om Chyanna bij te staan. De anderen zouden een frontale aanval inzetten op de belegeraars van het fort. Ze gingen ervan uit dat de vijand een uitval niet zou verwachten en de Gave van Thom moest de verwarring compleet maken.

'We hebben nog twee uur voor het licht wordt,' zei Gregor.

'Ik laat iedereen zich klaarmaken,' zei Lovennia. 'En ik laat uitkijken naar die verrader. Hij zal zijn straf niet ontlopen.'

Jari stond ook op, klaar om zijn deel van het plan uit te voeren.

'Dit is het grote moment, mensen,' zei Thom. 'Van deze aanval hangt veel af. Het is misschien onze enige kans om in Zeneria-Stad te komen.'

Lovennia keek hem aan. Haar blik straalde een en al vertrouwen uit.

Jari wilde al weggaan toen hij zich ineens omdraaide. Hij keek Thom onderzoekend aan.

'Wat is er?' vroeg Thom.

'Toen je vertelde over het verraad van Miko in Zeneria-Stad sprak je de hele tijd over *we*. Wil dat zeggen dat je Enea…'

Thom knikte. 'Ja, ik heb haar gevonden.'

Er ging een kleine schok door Jari's lichaam.

'En wanneer was je van plan me dat te vertellen?'

'Je was me voor. Ik wilde je net tegenhouden.'

Hoewel het hem niet helemaal lekker zat, nam Jari genoegen met dat antwoord. 'Waar is ze? Wat is er met haar gebeurd?'

'Ze is… ik leg het later wel uit. Ze is op een veilige plaats bij de Koningsgezinden.'

'Maar is alles oké met haar?'

Thom knikte. 'Ga nu maar,' zei hij. 'We moeten voortmaken.'

'Wees voorzichtig, Thom.'

'Jij ook.'

De twee vrienden omhelsden elkaar en Thom liep de barak uit naar de ziekenboeg, waar Kirsha lag.

Jari keek zijn vriend na. Zijn voorhoofdchakra leek ineens wel weer te werken, want hij begon te zinderen. Thom hield iets achter, Jari wist het zeker. En hij had meer gevoeld: er hing een sluimerend verdriet rond zijn vriend. Toch had hij niet gelogen toen hij zei dat alles in orde was met Enea.

Jari schudde zijn hoofd. Hij zou geduld moeten oefenen tot Thom hem zelf wilde vertellen wat er was. Enea was veilig, daar kon hij voorlopig genoegen mee nemen. Maar dat hij het verraad van Miko niet had doorzien, zat hem wel dwars. Hij had zich te weinig geconcentreerd op zijn voorhoofd-chakra en daardoor waren mensen nodeloos omgekomen. Jari voelde zich schuldig ten opzichte van de slachtoffers, maar ook tegenover Abu. Hij had te weinig rekening gehouden met de raadgevingen van zijn oude leermeester.

'Het spijt me, Abu,' fluisterde hij voor zich uit. Hij concentreerde zich op zijn voorhoofdchakra, maar er kwam geen antwoord.

Toch begreep hij ook zonder woorden wat zijn leermeester hem wilde zeggen. 'Kijk vooruit. Sta niet stil bij een mislukking. Elk falen geeft je de kans om het een volgende keer beter te doen.'

Jari zuchtte diep en beet op zijn tanden. Hij moest naar Kristallijn. Chyanna had hem nodig.

Terwijl Thom naar de ziekenboeg liep, keek hij naar zijn handpalmen. Met de Gave strooide hij dood en vernieling om zich heen. Hoe kon iets koninklijks zo vernietigend zijn? Hij had het vuur binnenin min of meer onder controle gekregen, maar hij wist zeker dat hij er nooit aan zou wennen om anderen te doden.

Kirsha kwam overeind toen ze Thom zag binnenkomen.

'Moet je niet blijven liggen?' vroeg Thom.

Kirsha glimlachte moedig. 'Een schram, meer niet,' zei ze.

Thom tilde haar bebloede hemd op en zag het grote verband om haar middel. 'De pijl stak in je zij. Dat is geen schram.'

'Er is meer nodig om mij klein te krijgen,' antwoordde Kirsha. 'Ik heb jaren gewacht op dit moment. Ik ga niet vanuit mijn bed toekijken hoe de Skyrth ten onder gaat. Wees gerust, ik kan nog altijd een zwaard hanteren.'

Miko stond aan de rand van de stad, verscholen in een donkere steeg tussen twee huizen. Hij was letterlijk bijna flauwgevallen toen het nieuws dat zich als een lopend vuur door de stad verspreidde ook zijn oren bereikte. Reikon was dood. Thom was terug en bestookte de vijand met vurige lichtstralen die uit zijn eigen handen ontsprongen. Onmogelijk! Voor hij uit Zeneria-Stad was weggegaan, had Miko zelf gezien dat Thom was overmeesterd. De paleis-wacht was al onderweg geweest. Thom zat in de kerker!

En toch waren de geruchten overtuigend. Miko was hier dus niet meer veilig. Zijn dubbele rol was uitgespeeld. Hij moest rennen voor zijn leven. Overal in de stad flikkerde het licht van fakkels, maar het fort was in een diepe duisternis gehuld. Een meevaller. Als hij ongezien uit de stad kon wegkomen, kon hij een omweg maken rond het fort en zo naar het kamp van de Skyrth lopen.

Miko beet op zijn lip. Het was niet meer dan vijftig meter rennen voor hij zou worden opgeslokt door het donker. Dat moest haalbaar zijn. Zijn hart bonsde en zijn ademhaling was onregelmatig. Hij was niet de man van de snelle acties; list en bedrog lagen hem veel beter.

Hij kwam behoedzaam de steeg uit en keek om zich heen. Niemand te zien. Hij telde tot drie en begon toen zo hard hij kon te rennen, alsof de dood zelf hem op de hielen zat. Elk moment verwachtte hij een pijl in zijn rug te voelen, maar de scherpe pijn bleef uit. Nog twintig meter, nog tien… de duisternis omhulde hem, maar nog steeds rende hij verder. Pas toen hij er helemaal zeker van was dat niemand hem meer kon zien, stopte hij. Voorovergebogen, met zijn han-den steunend op zijn knieën, bleef hij staan uithijgen. Een grijns gleed over zijn lippen. Hij had het gehaald. In een grote boog liep hij verder naar het kamp van de Skyrth. Daar zou hij veilig zijn.

Jari trok met zijn troepen de stad uit. Ze hadden fakkels bij zich, zodat de beweging van de grote groep tot in het kamp van de Skyrth te zien zou zijn. Het zou de aandacht van het fort afleiden. Jari keek naar de donkere omtrekken van het fort. Het lag er doods bij, maar Jari wist dat iedereen binnen de houten omwalling zich klaarmaakte voor de strijd. Hij probeerde te vatten wat hem allemaal overkwam. Nog niet zo lang geleden was hij een eenvoudige beschermer geweest op zijn eiland. De steeds weerkerende rituelen hadden zijn leven bepaald en hij was gezegend met een vriendschap die door niets verbroken kon worden. Abu had hem leren vechten, maar Jari had nooit gedacht dat hij die lessen in de praktijk zou moeten omzetten. Het hoorde gewoon bij het beschermer zijn, had hij altijd aangenomen. Nu stond hij mee aan het hoofd van een heuse krijgsmacht in een vreemd land dat wel helemaal in brand leek te staan. Hij geloofde Thom als die zei dat Enea veilig was. Maar hoe zat het met henzelf? Op zee waren ze op het nippertje aan de dood ontsnapt en Thom was bijna gevangengenomen. Hoe lang zou het geluk nog met hen zijn? Opnieuw bad hij tot de Moedersteen dat hij Thom nog zou terugzien.

De grote poort van het fort werd geruisloos opengezet. Honderden vechtlustige mannen en vrouwen hielden gespannen de adem in. Ze moesten het vijandige kamp zo dicht mogelijk naderen zonder gezien te worden. Hoe dichterbij ze konden komen, hoe groter de impact van de aanval zou zijn.

'Ben je klaar?' vroeg Lovennia.

Thom knikte. Hij zou, beschermd door vier van Lovennia's beste strijdsters, naar het kamp gaan. Daar zou hij met zijn lichtstralen verwarring stichten om hun eigen strijdmacht de kans te geven het laatste stuk te overbruggen zonder direct geconfronteerd te worden met een pijlenregen. Het was een gevaarlijk plan, maar iedereen had moeten toegeven dat het de grootste kans op succes bood.

De vijf donkere figuren trokken zwijgend het grote zwarte gat voor het fort in. Ze leidden hun paarden, waarvan ze de hoeven met doeken omzwachteld hadden, bij de teugels mee. Allerlei gedachten schoten door Thoms hoofd. Hij dacht aan zijn ouders, thuis op het eiland. Ze hadden hem opgevoed alsof hij hun eigen kind was. Woede schoot door hem heen toen hij dacht aan de vreselijke en onrechtvaardige dood die ze gestorven waren. Geschrokken voelde hij zijn handpalmen tintelen. Hij moest zijn emoties onder controle houden. Als zijn handen begonnen te gloeien waren ze eraan voor de moeite.

Zijn gedachten dwaalden onwillekeurig af naar Enea. Ze had hem verteld hoe Yfe haar had gedwongen haar lichaam aan te bieden aan rijke mannen. Hoe ze vriendschap had gesloten met Jorund, een totale vreemde. Enea had Thom bewust uit haar leven gebannen; het was de enige manier geweest om de pijn te verdragen, had ze gezegd. Was het bed delen met die Jorund dan ook een middel geweest om geen pijn te voelen?

Met zijn verstand wist Thom dat ze niets verkeerds had gedaan. Hoe had zij maar kunnen vermoeden dat ze elkaar ooit zouden terugzien? Maar dat nam het verlammende gevoel in zijn hart niet weg. Thuis, op het eiland, had hij gehoopt dat hun liefde zou groeien en stiekem had hij er al over gefantaseerd hoe het zou zijn om met haar verder te leven. Maar het leven had er anders over beslist. Hij moest haar loslaten.

In een korte flits kwam het beeld van Leila voor zijn ogen. Zijn moeder, zijn echte moeder, was onrechtstreeks evenzeer door de Skyrth vermoord. Zijn mond verstrakte. Hij zou wraak nemen voor zijn beide moeders, voor zijn vaders, voor het verlies van het meisje van wie hij hield.

'Verder kunnen we niet,' fluisterde een van de strijdsters. 'Anders zien ze ons.'

Thom knikte en begon de zwachtels van de paardenhoeven los te maken. De anderen volgden zijn voorbeeld.

'We blijven samen,' fluisterde Thom. 'Veel geluk.'

Ze stegen op. Thom keek nog eens naar de jonge vrouwen die hem flankeerden. Ze hadden hun zwaard in de hand. Toen klakte hij met zijn tong.

Tegelijkertijd plantten de strijdsters hun hielen in de flanken van de paarden. De dieren schoten vooruit en al snel verdreef het geluid van hun galopperende hoeven de stilte van de nacht. In het kamp weerklonk een waarschuwende kreet. Een kort ogenblik later al werd de man die had geroepen met één machtige zwaardhouw onthoofd. De strijdsters hakten om zich heen en baanden zich een weg naar het centrum van het kamp. Toen hij bij de tenten kwam, begon Thom met zijn dodelijke werk. Met de lichtstralen die aan zijn handen ontsnapten zette hij een heleboel tenten in lichterlaaie. Kreten van angst vulden de lucht en wie Thom probeerde aan te vallen, maakte kennis met de zwaarden van zijn tijdelijke lijfwacht. Een soldaat dook onder een zwaard door en klampte zich vast aan Thoms been. Uit zijn evenwicht gebracht greep Thom zich stevig vast aan de teugels. De man klauwde naar zijn hemd, maar Thom legde zijn rechterhand op het hoofd van zijn aanvaller. Een korte flits en de man liet gillend los.

Ineens werd het lawaai intenser. De kreten van ontzetting werden overstemd door strijdkreten. Het leger van de opstandelingen uit het fort had het kamp bereikt. De chaos was nu compleet. De aanvallers bewogen zich als ontketende demonen tussen de vuurhaarden door en zaaiden dood en verderf. In beide kampen werden bevelen heen en weer ge-schreeuwd, maar de Skyrth-bevelhebbers slaagden er niet in enige structuur in de verdediging te brengen. Een van Thoms lijfwachten werd gespietst door een lange speer en viel schreeuwend uit het zadel. Thom reageerde onmiddellijk en nog voor haar belager zijn wapen kon terugtrekken, werd hij getroffen door een dodelijke straal. Met de drie over-gebleven strijdsters baande Thom zich verder een weg door het kamp. Onvermoeibaar liet hij overal vuurhaarden achter. Met elke lichtstraal die hij afvuurde, dacht hij aan zijn overleden ouders of aan de liefde van Enea, die de Skyrth hem had afgepakt.

De strijd was kort, maar bloederig. Veruit de meeste slachtoffers vielen aan de zijde van de Skyrth en na minder dan een uur waren alleen nog overwinningskreten te horen.

'Thom!' Lovennia liep lachend op hem af. Ze pakten elkaars onderarm vast.

'Het is je gelukt,' zei ze.

'Het is *ons* gelukt. Maar we zijn er nog niet. Het moeilijkste moet nog komen: Zeneria-Stad. We moeten snel zijn,' zei Thom.

'Eerst moet ik toch je aandacht vragen voor iets anders,' zei Lovennia. Ze draaide zich om en riep: 'Breng de verrader hierheen.'

Onder luid gejoel werd Miko naar voren gebracht. Zijn gezicht stond angstig.

'Deze man heeft ons allemaal verraden!' zei Lovennia luid. Iedereen kwam dichterbij. Allemaal wilden ze een glimp opvangen van wat er aan de hand was. 'Door zijn toedoen werden veel van onze zusters en broeders de dood ingejaagd. Wij brengen de verrader voor u, zodat u over hem kunt oordelen.'

Thom werd al een tijdje stilzwijgend als de aanvoerder van de opstand beschouwd, maar door dit te doen liet Lovennia iedereen duidelijk weten dat ze Thom als de absolute leider zag. Thom voelde zich weinig comfortabel in de rol van rechter die Lovennia hem opdrong. Hij zag de verwachtingsvolle blikken om hem heen en hij begreep dat zijn mensen maar met één oordeel genoegen zouden nemen.

Als opstandelingenleider had hij moeten leren het leven van mensen met meer gemak te nemen dan dat van de krabben toen hij nog op het eiland woonde, maar wat zijn mensen nu van hem verlangden, was anders. Iedereen verwachtte dat hij Miko zou neerbliksemen. De man was schuldig en had ongetwijfeld veel doden op zijn geweten, maar hij was ook weerloos.

Thom dacht zo snel mogelijk na. Hij mocht nu geen aarzeling tonen. Niet na alle offers die iedereen al had gebracht.

'Laat hem los,' zei hij luid.

Er klonk verrast gemompel, maar de twee strijdsters die Miko in bedwang hielden, deden wat hij vroeg.

'Geef hem een zwaard!'

Het werd stil. Lovennia keek Thom aan en glimlachte. In haar ogen toonde hij zich een groot en krachtig leider.

'Je hebt gehandeld als een rat en verdient het te sterven als ongedierte,' zei Thom. 'Maar ik wil je een kans geven. Dat is meer dan wat jij de mensen gaf die door jouw verraderlijke listen zijn gestorven. Gebruik je zwaard en gedraag je voor één keer als een man!'

Hoongelach steeg op en Miko beefde op zijn benen. Hij wist dat zijn laatste uur geslagen had, wat hij ook deed. Zijn hand zat krachteloos om het gevest van zijn zwaard.

'Hij durft niet, de lafbek!' riep iemand.

'Maak die verrader af!'

Thom besefte dat hij niet te lang mocht wachten. Hij hoopte dat Miko het zwaard tegen hem zou heffen, zodat hij zelf nog de illusie zou hebben dat het niet louter een terechtstelling was. Hij keek Miko dwingend aan.

'Wel?'

De verrader beefde hevig en een donkere plek verscheen in zijn kruis.

'Hij bepist zichzelf!' riep iemand uit de menigte.

Opnieuw hoongelach.

De tranen liepen langs Miko's gezicht toen hij het zwaard hief. Zijn onderlip trilde. Met het laatste restje moed dat hij kon opbrengen, probeerde hij uit te halen naar de leider van de opstandelingen. Nog voor hij het zwaard naar beneden kon laten komen, drukte Thom zijn beide handpalmen krachtig naar voren. De vurige straal raakte Miko vol in de borst. Miko liet het zwaard vallen en greep naar de brandende plek op zijn kleren. Onmiddellijk trok hij zijn verbrande handen weer weg terwijl hij schreeuwend van pijn op zijn knieën viel.

'Zeneria is van ons!' brulde Thom. Hij trok zijn zwaard en verloste Miko uit zijn lijden.

Gejuich barstte los en Thoms naam werd gescandeerd, maar zelf voelde hij zich vreselijk. Die laatste energie-uitbarsting had hem leeggezogen. Niet dat het te veel was geweest voor zijn lichaam, maar hij kon nog steeds geen rechtvaardigheid zien in het nemen van een leven.

39.

Opgeschrikt door het geluid van de botjes die op het tafelblad vielen, schoot een rat weg naar de veiligheid van haar hol in de muur. Herakla bestudeerde de botjes terwijl ze haar typische, zoemende geluid voortbracht. Wat ze zag, stemde haar niet vrolijk, maar het verraste haar niet. Het bloed was al aangekondigd toen ze in de toekomst van Yfe had gekeken, en ze had toen al geweten dat de dodelijke vloed niet alleen bestemd zou zijn voor de meesteres van de villa. Intussen was het bloed van de wraak aan land gekomen en het had al vele slachtoffers gemaakt. Herakla zag niet hoe iets of iemand het bloed zou kunnen stoppen. Op dit eigenste moment stroomde het de straat in waar ze woonde, vulde het steegje en kroop de trap op, klaar om ook haar te treffen. Ze perste haar lippen op elkaar en haar tandeloze mond werd een smalle streep, omringd door talloze rimpeltjes. Ze had altijd geweten dat de dood op een dag zou komen aankloppen; ze was er klaar voor.

De deur kraakte in haar hengsels door het harde bonzen.

'Ik hoor je wel,' kraste Herakla. 'Je hoeft de deur niet in te slaan.'

Ze slofte naar de deur en keek niet verbaasd toen twee paleiswachters haar grimmig aankeken.

'Meekomen! Bevel van de Grootvorst!'

Herakla keek de mannen aan, niet in het minst uit het lood geslagen.

'Een ogenblikje,' zei ze rustig.

'Onmiddellijk!' zei een van de wachters en hij greep haar arm.

Herakla wierp hem een giftige blik toe, zonder dat ze probeerde haar arm te bevrijden.

'Mag ik misschien eerst mijn botjes pakken? Of dacht je dat de Grootvorst gelukkig zal zijn als ik zonder mijn instrumenten bij hem kom? Wat moet ik hem zeggen: dat zijn onderontwikkelde paleiswacht het geduld niet had om me mijn spullen te laten pakken?'

Twijfel werd zichtbaar op het gezicht van de wachter.

'Of heb je liever dat ik jullie beiden meteen vervloek? Dat bespaart jullie het wachten op de dood die toch komt.'

De wachter liet Herakla's arm los en probeerde zijn autoritaire houding te handhaven, maar op zijn gezicht was al een eerste spoor van paniek merkbaar. Herakla draaide zich om en liep glimlachend naar de tafel. Het bloed mocht dan wel onontkoombaar zijn, dat betekende nog niet dat ze zich als een lam naar de slachtbank zou laten leiden. Met een vinnig gebaar veegde ze de botjes bij elkaar. Ze deed ze in het zakje en stopte dat tussen de plooien van haar groezelige jurk.

'Maak wat voort,' zei de wachter bars.

Verrassend snel voor iemand van haar leeftijd draaide Herakla zich om. Haar koolzwarte oogjes keken de wachter vernietigend aan.

'Is het verstandig met je leven te spelen omdat je niet kunt wachten tot ik mijn mantel heb gepakt?' Ze kwam dichterbij en bleef pal voor de wachter staan. 'Je hebt er zonet zelf voor gezorgd dat dit de laatste dag van je leven is, arme idioot,' siste ze.

De wachter verschoot van kleur. Zijn gezicht trok helemaal wit weg. Toen richtte Herakla zich tot zijn compagnon.

'Ga jij me ook verhinderen mijn mantel te pakken?'

'Maak voort, toverkol. De Grootvorst houdt niet van wachten.'

'En ik hou er niet van als iemand me opjaagt. Pas maar op dat je het lot van je vriend hier niet deelt.'

Zonder op een reactie te wachten liep Herakla naar de haak in de muur waar haar donkerbruine mantel hing. Ze sloeg hem over haar schouders en wierp een laatste blik op haar schamele bezittingen. Toen liep ze naar buiten zonder de deur achter zich te sluiten. Ze zou hier toch nooit meer terugkomen. Het maakte niet uit of er dieven binnenkwamen.

Gerolf Breitsang huiverde. Bij de zeldzame gelegenheden dat hij de waarzegster had ontmoet, had hij zich telkens onbehaaglijk gevoeld en dat was nu niet anders. De zwarte oogjes van de oude vrouw gingen bijna volledig schuil tussen de rimpelige huid en haar dunne lippen vormden een smalle lijn die zowel grimmig als uitdagend was. Ze leek niet in het minst onder de indruk van de omstandigheden. Breitsang was blij met de aanwezigheid van de twee wachters die haar flankeerden.

'De Grootvorst verwacht u,' zei hij. Daarbij vermeed hij het om haar aan te kijken.

Herakla grinnikte. 'De grote heerser over Zeneria wacht op mijn raad en zijn schoothond is bang om gevangen te worden door mijn blik.'

In weerwil van zichzelf keek Breitsang de waarzegster aan.

'Wat een zielige vertoning,' zei Herakla spottend. 'Je vergooit je hele leven om in de schaduw te staan van een man die zelfs de moed niet heeft me in mijn eigen huis op te zoeken. En wat heb je bereikt? Niets!'

Breitsang sprong net niet achteruit toen ze dat laatste woord als een braakbal uit haar mond liet komen.

'Je trilt op je benen als je oog in oog staat met een oude vrouw. Ik spuw op je!' Ze rochelde en een dikke fluim belandde net naast Breitsangs voeten op de grond.

'Breng haar naar binnen,' zei Breitsang vlug.

De Grootvorst keek Herakla staalhard aan. De blik die zij hem op haar beurt schonk, was even onwrikbaar. De wachters brachten haar tot voor het bureau, lieten haar los en deden toen een paar stappen terug. Breitsang stelde zich op bij de deur, hij wilde zich uit de voeten kunnen maken als het misliep.

'Je weet waarom ik je heb laten komen,' zei de Grootvorst kil.

'Beheerst onzekerheid je leven op dit moment, grote vorst?' vroeg Herakla. Ze deed geen moeite de spottende toon in haar stem te verbergen. 'Zijn de recente gebeurtenissen niet naar wens?'

'Wat weet je, toverkol?'

'Niets wat jij niet weet. Het bloed is in opmars, en laat me raden… Je leger slaagt er niet in het te stoppen.'

'Kraukar is gevallen. De opstandelingen rukken op naar Zeneria-Stad. Je moet me een blik in de toekomst gunnen.'

'De vraag is of ik je iets kan laten zien waar je blij mee zult zijn,' kraste Herakla.

'Je spitsvondige wijsheden kun je achterwege laten, toverkol. Ik wil alleen weten wat ik moet doen om het tij te keren,' zei de Grootvorst bits.

Herakla lachte. 'Al jarenlang een man zonder naam, verborgen achter een titel die iedereen moet laten beven van schrik, en nu moet de grote vorst raad vragen aan een oude vrouw in het laatste uur van haar leven.'

Ze weigerde de Grootvorst met zijn titel aan te spreken en toonde op die manier haar grote minachting. De Grootvorst schrok even van haar laatste zin, maar herstelde zich onmiddellijk.

'Bespaar me je armzalige pogingen om me te beledigen, heks. Pak die rattenbotten van je en laat me de toekomst zien.'

Herakla keek de Grootvorst indringend aan en trok haar mondhoeken misprijzend omlaag.

'Ik heb je stoel nodig,' zei ze.

'Drijf het niet te ver, ik waarschuw je.'

'Als je liever hebt dat de botjes zwijgen, laat me dan maar aan deze kant staan,' kraste Herakla. Ze keek de Grootvorst uitdagend aan. De twinkeling in haar ogen verried dat ze hier plezier in had. 'Ik heb je stoel nodig,' herhaalde ze.

Met tegenzin stond de Grootvorst zijn plaats af en liep naar de andere kant van zijn bureau. Herakla ging triomfantelijk zitten. Ze greep tussen de plooien van haar jurk en haalde het stoffen zakje tevoorschijn. Tergend langzaam maakte ze de veter los.

'Kan het wat sneller?'

'Ga jij bepalen hoe ik mijn botjes moet hanteren?' Herakla reikte de Grootvorst het zakje aan. 'Je mag het ook zelf proberen, als je wilt.'

De Grootvorst kon zich nauwelijks beheersen en keek haar witheet van woede aan. Hij klemde zijn tanden op elkaar, maar hij zweeg. Achter hem voelde Breitsang het zweet in fijne straaltjes langs zijn rug lopen. Niemand durfde zijn meester zo aan te spreken. Hij verwachtte dat de bom elk moment kon barsten.

Herakla schudde de rattenbotjes uit over het bureaublad. Ze kneep haar ogen tot spleetjes om de geheimen van de toekomst te ontrafelen. Zacht zoemend wiegde ze nauwelijks merkbaar heen en weer. Af en toe doorbrak ze het eentonige gezoem met een kirrend geluid. Dan sperde ze haar ogen wijd open om ze daarna weer door haar vele rimpels te laten opslokken. Haar zoemende geluid vulde de kamer. De Grootvorst keek gespannen toe, maar zei geen woord. Uiteindelijk stopte Herakla met zoemen en ze liet haar benige hand over de botjes gaan zonder ze aan te raken. Zwijgend plantte ze een vinger tussen twee botjes. Toen, alsof ze gebeten werd door een slang, trok ze haar hand terug.

'Verdoemd,' kraste ze. 'We zijn allemaal verdoemd.'

De wachters deinsden achteruit. Breitsang zou dat ook

hebben gedaan, als hij al niet met zijn rug tegen de deur stond. Alleen de Grootvorst liet niet merken dat hij onder de indruk was.

'Vertel me wat je ziet,' zei hij.

'Bloed... Ik zie beken van bloed. Ze stromen deze richting uit... steeds sneller. Er is geen ontkomen aan. De vluchtwegen zijn afgezet. Het bloed is uit op wraak.'

'Spreek duidelijke taal, heks,' zei de Grootvorst boos.

Herakla keek nog enkele ogenblikken zwijgend naar de botjes en sloeg toen haar ogen op naar de Grootvorst.

'Je hebt de macht gegrepen met geweld. Met in bloed gedrenkte handen heb je jezelf op de troon van Zeneria gehesen. Maar al die tijd heeft de troon geduldig gewacht op de komst van zijn eigen bloed. En het bloed is op komst. O ja, het komt sneller dan je denkt. Het bloed is immers niet geduldig.'

'De troon is van mij, heks. En niemand zal hem van me afnemen.'

'Daar zou ik niet zo zeker van zijn, grote vorst,' zei Herakla smalend. 'Je bloed heeft geen enkele band met de troon. Je hebt hem beklommen dankzij list en bedrog. Je hebt je gehandhaafd door met ijzeren hand te regeren. Maar de troon reageert op bloed. Het bloed dat verwant is.'

'Je raaskalt, oude toverkol,' zei de Grootvorst. Maar twijfels nestelden zich al in zijn hoofd. Herakla deed nooit lichtzinnig voorspellingen.

'Zeneria-Stad glipt uit je handen. De greep op het land ben je al kwijt. Het bloed likt aan de rand van de stad en zal weldra je paleis verzwelgen. Al het water van de wereld zal niet volstaan om straten en gangen schoon te spoelen. Hoe hard je ook spartelt, je zult verteerd worden door een vuur dat je zelf nooit zult bezitten.'

'Je liegt!' riep de Grootvorst. Zijn vuist kwam met een harde klap neer op het bureaublad en de botjes sprongen omhoog. Herakla bleef er onbewogen onder.

'Denk je dat je de toekomst kunt herschrijven door mijn botjes van plaats te veranderen? Arme dwaas. Het bloed voert het vuur van je ondergang met zich mee.'

'Grijp haar!'

De wachters deden een stap naar voren.

'Dood haar!'

Verrassend snel kwam Herakla overeind. Ze pakte een vlijmscherp mes tussen de plooien van haar jurk uit en keek de wachters uitdagend aan. Ze hield het lemmet van het mes tegen haar pols.

'Ik vervloek jullie,' zei ze. 'Iedereen die zich in deze kamer bevindt, vervloek ik.' Ze kerfde in haar pols en dikke druppels bloed vielen over de rattenbotjes. 'Met mijn eigen bloed vervloek ik jullie, opdat jullie dood pijnlijk mag zijn en de strijd om rust te vinden eeuwig mag duren. Mijn bloed zal aan jullie handen kleven en mijn vloek zal jullie blijven treffen, lang nadat de tijd heeft opgehouden te bestaan.'

De wachters aarzelden, maar de toorn van de Grootvorst vreesden ze nog meer dan de vervloeking van de oude waarzegster. Ze liepen rond het bureau en grepen Herakla vast.

Een van hen trok zijn dolk en plofte die in haar zij. Herakla liet een bijna dierlijke schreeuw horen. Ze greep naar de wond en hief haar bebloede handen op. Toen greep ze bliksemsnel naar de keel van beide wachters. Ze sloot haar benige vingers om hun adamsappels en keek de Grootvorst vol haat aan.

'Ik ga nu, maar jullie volgen snel,' zei ze rochelend. 'Mijn bloed zal blijven kleven.'

Ze loste haar greep, waarna de mannen angstig achteruitdeinsden. Herakla zakte door haar knieën en zocht steun aan het bureaublad. Haar vingers maakten bloedige strepen op het hout voor ze dood op de grond viel.

De Grootvorst ademde zwaar en keek naar het bloed dat zijn werktafel bedekte.

'Haal dat mens hier weg,' beval hij. 'Breitsang, ik wil de raad bijeen. Nu onmiddellijk!'

Diep onder de indruk van wat hij had gezien, haastte Breitsang zich de kamer uit. Angst klemde zich als een stevige klauw om zijn hart. Iedereen in de kamer, had ze gezegd. Ze had ook hem verdoemd.

40.

Chyanna probeerde de druk op te voeren. Na de overwinning op Vossung en zijn ruiterij had ze bevolen onmiddellijk door te gaan. Ze had zich niet vergist. De ruiters waren slechts een voorbode geweest van de troepenmacht die Kristallijn had ingezet. De infanterie die de opstandelingen tegemoetkwam was indrukwekkend, maar Chyanna vuurde haar troepen aan. De vijand had een grote vergissing begaan door zich buiten de stadsmuren te wagen. Op open terrein hadden ze geen beschutting. Bovendien was de weg veel te smal voor de Kristallijntroepen om van hun overmacht te kunnen profiteren.

In plaats van wild aan te vallen, koos Chyanna voor een heel bewuste strategie. Ze liet een voorhoede van honderd man tegen de oprukkende soldaten vechten. Elke tweehonderd tellen gaf ze het teken dat een nieuwe golf van honderd strijders de voorste linie moest bemannen. De voorhoede kon zich dan terugtrekken, uitrusten en de gewonden in veiligheid brengen. Op die manier bracht ze constant vers bloed in de frontlinie en dat loonde. Ze leed verliezen, maar het aantal gewonden en doden aan de andere kant werd zienderogen groter.

Chyanna wilde vooral vermijden dat de vijand de kans kreeg

zich terug te trekken achter de veilige stadsmuren. Als een dol geworden furie bleef ze haar manschappen aanvuren. Zelf mengde ze zich niet in de strijd, hoewel dat haar moeite kostte. Ze wilde echter het overzicht bewaren en op de juiste tijdstippen het sein voor vervanging van de voorhoede geven. Ze merkte dat de organisatie zoek was bij de vijand en dat versterkte haar vermoeden dat hun aanvoerder zich tussen de verslagen ruiters had bevonden. Het vallen van de nacht bracht geen verandering in haar strategie. Terwijl in de achterhoede werd gegeten en gerust, bleef ze steeds weer nieuwe krachten in de strijd gooien. Ze voelde geen vermoeidheid; het bloed kolkte door haar aderen.

In het donker had ze het bijna niet gezien. De rechterkant van de linie bezweek en de vijand perste zich door het ontstane gat. Chyanna schreeuwde een waarschuwing voor de reserve-eenheid die al klaarstond. Zonder aarzeling liep ze met geheven zwaard naar voren. In enkele passen was ze bij de eerste vijandige soldaat. De man merkte haar pas op toen ze haar zwaard met een door merg en been dringende strijdkreet op zijn helm liet neerkomen. Ze sloeg zo hard dat haar zwaard de helm en de schedel van de man in één keer kliefde. Ze trok haar wapen los en stortte zich gillend op een tweede soldaat. Die pareerde haar slag, maar werd door haar geweld achteruit gedrongen. Chyanna's mensen voegden zich al bij haar en dreven de vijanden terug. Haar tegenstander haalde uit naar haar benen, maar ze doorzag de beweging. Ze sprong hoog boven het maaiende zwaard en liet tegelijkertijd haar eigen zwaard op de schouder van de man neerkomen. Grijpend naar zijn arm, die bijna van zijn lichaam gescheiden was, viel de man schreeuwend neer. Chyanna wilde zich op een volgende tegenstander storten, maar zag dat het gat in de linie alweer gedicht was. Ze was trots op haar mensen. Met elke minuut groeide haar hoop dat ze het zouden halen. De troepen van Kristallijn zouden Lovennia in ieder geval niet in de rug kunnen aanvallen, al moest ze er zelf voor sterven.

Jari had de hele nacht doorgereden aan het hoofd van zijn strijdmacht. Toch voelde hij geen vermoeidheid. De geluiden van het strijdgewoel in de verte dreven de adrenaline door zijn lichaam. Hopelijk kwamen ze niet te laat. Met een armgebaar gaf hij het signaal om over te gaan tot galop. De vredelievende beschermer was een echte strijder geworden.

Het liep al tegen de ochtend toen het bericht Chyanna bereikte dat er versterking was aangekomen. Enkele ogenblikken later stond Jari aan haar zijde.
'Laat mijn mensen het overnemen,' zei hij. 'Jullie zijn moegestreden.'
Met tegenzin stemde Chyanna in. Veel van haar manschappen waren inderdaad uitgeput, ondanks de succesvolle tactiek die ze de hele nacht had aangehouden.
'De tegenstanders moeten minstens even moe zijn,' zei Jari. 'Als ik nu met bijna vierhonderd verse strijdkrachten te paard aanval, lopen we ze onder de voet.'

Chyanna's gezicht klaarde op: ruiterij! Glimlachend besefte ze dat de overwinning binnen bereik was. Jari reed naar achteren en enkele ogenblikken later week Chyanna's strijdmacht uit elkaar als een zee die zich opende. Met Jari aan het hoofd stormden de ruiters schreeuwend voorwaarts. Paniek brak uit in de rangen van de Kristallijnse strijdmacht. Zwaarden hakten ongenadig in op mannen die te dicht bij de paarden in de buurt kwamen. Soldaten die zich in veiligheid probeerden te brengen botsten op hun makkers en al gauw veranderden de rangen van Kristallijn in een onontwarbare kluwen waarboven de ruiters als genadeloze roofdieren uittorenden. Chyanna voelde de wanhoop van de vijand en vuurde haar mensen aan zich opnieuw in de strijd te werpen. 'Voor Cahaya!' schreeuwde ze en de strijdsters namen haar strijdkreet over. De chaos was compleet, de vijand werd totaal overrompeld. De achterhoede van Kristallijn zag dat alles verloren was en de soldaten probeerden zich uit de voeten te maken, maar ze konden de ruiters niet ontlopen. Velen gooiden hun wapens op de grond en hielden hun handen hoog boven hun hoofd.

'Spaar hen!' riep Jari. 'Vergiet geen onnodig bloed!'

'Ik stel voor dat we iedereen die nog in staat is te vechten verzamelen om op te rukken naar Kristallijn,' zei Jari.
Chyanna knikte vastberaden. Ze liepen langs de weg, die bezaaid lag met doden en gewonden. De gevangenen zaten bijeengedreven op hun knieën met hun handen op het hoofd.

'Als de gevangenen gekneveld zijn, hebben we een minimum aan bewakers nodig,' zei Chyanna. 'De lichtgewonden kunnen de bewaking op zich nemen. Laten we het werk afmaken.'

41.

Twee schepen voeren de haven van Zeneria-Stad binnen, met aan boord twee maal tweehonderd tot de tanden gewapende bevrijde slaven. Thom stond op de voorplecht met Kirsha naast zich. Lovennia viel met haar Cahayaanse strijdsters en het gros van het slavenleger de stad aan van de zuidzijde. Met dit offensief zetten ze alles op alles. Een klein bootje was met een boodschapper naar Farral gestuurd. Daar moest Kendra ook een uitval doen, zodat de troepen van de Skyrth die zich daar nog bevonden de kans niet kregen om Zeneria-Stad te hulp te snellen. Thom rekende erop dat in het oosten Jari en Chyanna sterk genoeg waren om de dreiging van die kant tegen te houden.

Op Kirsha's gespannen gelaatstrekken tekende zich een glimlach af.

'Waarom lach je?' vroeg Thom.

'Jarenlang heb ik me opgetrokken aan het geloof dat koningin Leila het gehaald had. Dat geloof heeft me altijd kracht gegeven in mijn strijd tegen de Skyrth. En nu sta ik hier zij aan zij met de nieuwe koning, klaar om het land terug te geven aan de rechtmatige bloedlijn.'

'Ik heb liever niet dat je me koning noemt,' zei Thom. 'Ik heb helemaal niets bewezen.'

Kirsha knikte, terwijl ze voor zich uit keek naar een groot schip dat langzaam in beweging kwam.

'Voor mij heb je meer dan genoeg bewezen. Je zult je erbij moeten neerleggen dat de Zenerianen je koning zullen noemen.'

In plaats van te antwoorden trok Thom Kirsha tegen het dek en ging boven op haar liggen.

'Zoek dekking!' schreeuwde hij. 'Pijlen!'

Het volgende ogenblik vulden luide kreten van pijn het dek. Overal werden mannen geraakt door pijlen die in een grote zwerm op de schepen neerkwamen. Thom ging op zijn knieën zitten en keek over de rand. Het schip dat zich eerder in beweging had gezet, zette nu koers naar hen toe. Tientallen riemen gingen in een gestaag tempo in en uit het water. In de boeg van het schip was een luik geopend, waar een gigantische stormram uitstak.

'Ze willen ons rammen!' riep iemand.

Thom schatte hun kansen in. Hun schip was te log om het snel op hen afkomende gevaarte tijdig te ontwijken. De ram stak net boven de waterspiegel uit. De boeg van hun schip zou doorboord worden en ze zouden water maken. Het grootste deel van de opvarenden zou verdrinken.

'Stop het schip!'

De roeiers roeiden met al hun kracht achteruit, maar het logge vaartuig minderde maar langzaam vaart. Thom ging rechtop staan en spreidde zijn armen. Hij riep de kracht van de Gave op en voelde de tinteling door zijn lichaam gaan.

Toen stak hij zijn armen naar voren en uit zijn handpalmen schoten twee helwitte stralen naar het vijandelijke schip toe. Het schip werd vol in de boeg geraakt; in de romp verschenen twee grote gaten en er brak brand uit. Soldaten en matrozen sprongen schreeuwend overboord om aan de snel om zich heen grijpende vlammen te ontsnappen.

'Vaar erlangs! Naar de kade!'

Ze voeren rakelings langs het brandende wrak, zonder acht te slaan op de mannen die overal om hen heen in het water lagen. Velen gingen onder omdat ze hun zware wapenrusting niet op tijd konden uittrekken. Thom probeerde niet te denken aan al die mensen die hij met die ene handeling weer de dood injoeg. Diep vanbinnen vuurde de stem van Leila hem aan. Hij moest haar land, het land van zijn vader heroveren. Pas dan zouden de zielen van zijn ouders rust vinden.

De weerstand op de kade was eerder zwak, omdat een groot deel van de troepenmacht naar de ingenomen steden was gestuurd. Er zat geen lijn in wat ze deden, en het leek alsof elke Skyrth-soldaat in het wilde weg voor zijn eigen leven vocht. Kirsha liet zich niet onbetuigd. In al de jaren van verzet had ze behoorlijk met een zwaard leren omgaan. Maar Thom liet bewust zijn zwaard in de schede en gebruikte alleen de Gave om tegen de vijand te vechten. Dat maakte de verwarring en de ontzetting bij de verdedigers nog groter. Tegen magie waren gewone soldaten niet opgewassen. De meesten voelden er weinig voor om levend verbrand te worden en kozen het hazenpad.

'De kortste weg naar het paleis, Kirsha?' vroeg Thom.

'Daarheen,' riep Kirsha.

'Volg me, mannen!'

De tegenstand op de kade was zo goed als verdwenen. Hier en daar vluchtten soldaten van de Skyrth een smal steegje in. Het slavenleger rukte op naar het paleis, naar het hart van de Skyrth.

Het plein en de toegangsweg naar het paleis lagen er verlaten bij. De overgebleven verdedigers van de haven waren gevlucht of hadden zich verschanst achter de muren van het indrukwekkende bouwwerk.

Thom herkende de herberg waar hij Kjell had ontmoet en later bijna was overmeesterd door de Skyrth. De deur was gebarricadeerd door een grote, houten plaat. Hij huiverde toen hij bedacht dat het heel anders had kunnen aflopen. Als hij en Enea toen niet waren ontsnapt, had deze aanval misschien nooit plaatsgevonden.

Het stalen hek van de paleispoort ging ratelend naar beneden. Thom keek ernaar en knarsetandde: vuur zou hier niet baten. Boven op de muren verschenen boogschutters die de aanstormende strijders met pijlen bestookten.

'Zoek dekking!' schreeuwde hij.

De aanvallers trokken zich terug buiten het bereik van de pijlen, de gewonden met zich meeslepend.

'We moeten iets verzinnen,' zei Thom tegen niemand in het bijzonder. 'Als we blind aanvallen, vormen we een al te gemakkelijke schietschijf.'

Kirsha keek hem aan. Thom had gelijk, maar ze waren nu zo dicht bij hun doel. Het kon nu toch niet meer mislukken?

42.

'Waar is mijn leger? Waar is mijn verdomde leger?'
De Grootvorst kookte van woede en de raadsleden krompen in elkaar van angst. Vooral raadslid Smidsung vreesde dat zijn laatste uur geslagen had. Hij tastte naar zijn hals alsof hij zich ervan wilde vergewissen dat zijn hoofd nog altijd op zijn schouders stond. Hij slikte en wilde iets zeggen, maar de Grootvorst was hem voor.

'Waag het niet met een halfslachtige uitleg aan te komen, Smidsung. Je hebt jammerlijk gefaald, over de hele lijn! Door jouw toedoen, door jouw incompetentie valt ons hele rijk aan diggelen. Dat besef je toch? De troepen uit Kristallijn hadden hier allang moeten zijn, maar wat zien we in de plaats? Opstandelingen en vreemdelingen die het centrum van Zeneria bezetten. Hoe lang duurt het nog voor ze hier binnenkomen?'

'De muren worden bewaakt, Grootvorst. Niemand durft binnen het bereik van onze pijlen te komen. Het paleis kan niet ingenomen worden,' probeerde Smidsung zijn vel te redden.

'En wat wil je dat ik doe? Regeren vanuit een hermetisch afgesloten burcht over een land waar ik niets meer te zeggen heb? Dit is mijn land! En jij hebt ervoor gezorgd dat ik een gevangene ben in mijn eigen paleis!'

Witheet van woede bleef de Grootvorst tegen Smidsung schreeuwen. Het raadslid trilde. Hij keek voortdurend naar de dolk die de Grootvorst bij zich droeg, bang dat zijn meester hem ter plaatse zou neersteken.

'Grootvorst,' probeerde Breitsang, 'ik denk dat het beter is dat u zich terugtrekt op de Tempelberg.'

De Grootvorst wilde net zijn tirade verderzetten, maar hield zijn adem in en keek zijn raadsheer aan. Allerhande gedachten spookten door zijn hoofd: de macht die hij voelde als hij in de troonzaal kwam, zijn grote droom om helemaal alleen over Zeneria te heersen. Dat was hem gelukt, maar nu gebeurde er ineens van alles waar hij geen vat op kreeg. Het gerucht dat de aanvoerder van die slavenopstand met vuur gooide, werd steeds sterker. Soldaten in het paleis beweerden bij hoog en bij laag dat ze het zelf hadden gezien. De Grootvorst beet zijn tanden bijna stuk van frustratie. Breitsang had gelijk; hij moest hier weg. Maar als híj Zeneria niet kon hebben, dan niemand.

'Goed, laat de reiscapsule klaarmaken. De raad gaat met me mee.'

Iedereen kwam overeind.

'Behalve Smidsung.' Hij keerde zich tot het raadslid, dat bleek wegtrok. 'Je hebt uitvoerig aangetoond dat je van geen enkel nut bent voor Zeneria. Jij blijft hier, aan het hoofd van de troepen die je nog resten.'

Smidsung deed zijn mond een paar keer open en dicht als een vis die op het droge ligt, maar hij vond de moed niet iets te zeggen.

'Jij blijft ook hier, Breitsang,' zei de Grootvorst.

Het was alsof Gerolf Breitsang een ferme tik van een voorhamer kreeg. Niet-begrijpend keek hij zijn meester aan.

'Jij neemt de leiding van het paleis waar tijdens mijn afwezigheid. Ik reken erop dat je dat met het nodige plichtsbesef zult doen.'

Verbouwereerd luisterde Breitsang naar het vonnis dat zonet over hem was uitgesproken. Hij wist dat wie achterbleef onherroepelijk zou sterven. De raadsleden waren op de hoogte van het noodplan om Zeneria te laten overstromen. Enkel wie zich op de Tempelberg bevond, zou veilig zijn. Hij, Breitsang, had de Grootvorst er zélf net op gewezen dat er geen andere mogelijkheid was dan dit plan ten uitvoer te brengen. Natuurlijk was hij ervan overtuigd geweest dat de Grootvorst hem mee zou nemen. Hij was immers zijn rechterhand.

'Maar Grootvorst,' begon hij jammerend.

'Waag je het mijn beslissingen in twijfel te trekken, Breitsang?' beet de Grootvorst hem toe.

Breitsang boog het hoofd. Hij moest zijn lot aanvaarden.

'Doe dan als de bliksem wat ik je opdraag. Ik wil dat die capsule vertrekkensklaar staat.'

Breitsang maakte een buiging en liep de vergaderzaal uit.

'Heren, ik verwacht jullie bij de capsule. Wie te laat komt, blijft hier.'

De Grootvorst liep naar zijn privévertrekken om zijn spullen te pakken. De raadsleden haastten zich om zelf het hoogstnodige bij elkaar te zoeken. Niemand wilde te laat komen. Alleen Smidsung bleef verweesd achter. De Grootvorst had hem net zo goed kunnen veroordelen tot de onthoofder.

De raadsleden stonden al te wachten bij de geopende reiscapsule toen de liftkooi openging en de Grootvorst het platform betrad. Zonder een woord te zeggen stapte de Grootvorst de capsule binnen. De raadsleden volgden zijn voorbeeld en als laatste stapte de technicus in die de capsule zou besturen. Iedereen wist hoe dat moest, maar de Grootvorst wilde de technicus absoluut meenemen. Hij zou de man boven op de Tempelberg nog nodig hebben.

Breitsang keek verslagen toe hoe het luik dichtging en de capsule een paar ogenblikken later weg zoefde. Zij leven was voorbij en hij wist het. Het noodplan was eenvoudig: vanop de Tempelberg zou heel Zeneria onder water gezet worden. Enkel de Tempelberg zelf, het hoogste punt van het eiland, zou boven de zeespiegel blijven. Alles en iedereen die zich niet op die berg bevond, zou onherroepelijk verdrinken.

Breitsang ging de liftkooi in en haalde de hendel over. De kooi ging langzaam omhoog. Breitsang dacht na over de verwezenlijkingen van de Skyrth. De lift was een mooi staaltje van de vooruitgang die de technologie had geboekt onder het bewind van de Grootvorst. Het was de Skyrth die de onmetelijke toepassingsmogelijkheden van kristalenergie had onderkend en was gaan onderzoeken. In een onbedwingbare drang naar kennis en vooruitgang had de Grootvorst mensen om zich heen verzameld die Zeneria steeds beter, steeds grootser moesten maken. De uitvindingen volgden elkaar in snel tempo op en het enige probleem was dat de energievoorraad van de kristallen niet oneindig was gebleken. Door de vele toepassingen raakten kristallen uitgeput, maar Breitsang was er altijd zeker van geweest dat de technici daar op tijd een oplossing voor zouden vinden. Het was nu in ieder geval zijn probleem niet meer, bedacht hij met een zucht.

De lift stopte en even aarzelde Breitsang. Hij kon terug naar beneden gaan. De tweede capsule was hersteld, daar had hij zelf op toegezien. Hij zou ook naar de Tempelberg kunnen gaan. Maar daar zou de Grootvorst hem doden; zijn meester duldde geen ongehoorzaamheid. Breitsang opende de liftkooi en liep het paleis in. Hij zou sterven, hoe dan ook.

43.

'Aan de rand van de stad wordt hevig gevochten. Lovennia houdt ze daar bezig. Geen kans dat ze hierheen komen.'

'Mooi,' zei Thom. 'Dan hoeven we van die kant niets te vrezen. Je hebt prima werk gedaan.'

Blij met het compliment ging de verkenner weg. Samen met Kirsha en Danica, de sectieleidster die met hen was meegekomen, besprak hij de situatie.

'We zijn voorlopig veilig,' zei hij. 'Aan de rand van de stad heeft de Skyrth iedereen nodig om Lovennia en onze mensen te weerstaan en hier controleren we de paleispoort. Niemand kan er in of uit. Maar...'

'Kerr!' riep Kirsha. Ze zag de jonge helper van de Koningsgezinden lopen en wenkte hem.

'Ik zocht je al,' zei hij, toen hij dichterbij kwam.

'Hij is een Koningsgezinde,' legde Kirsha snel uit. 'En?'

'We hebben het paleis de hele tijd in de gaten gehouden,' zei Kerr. 'De Grootvorst zit nog altijd binnen.'

'We moeten hem hebben,' zei Thom beslist. Wat Yfe hem voor haar dood had verteld, baarde hem zorgen. Als de Grootvorst inderdaad over de mogelijkheid beschikte Zeneria onder water te zetten, mochten ze hem daartoe geen enkele kans geven. 'Als we hem in handen hebben, zal alle tegenstand meteen gebroken zijn.'

'We kunnen geen open aanval op het paleis riskeren,' zei Danica.

Thom knikte. 'Ik weet het. Maar er moet toch een manier zijn.'

'Wacht even,' zei Kirsha ineens. Ze kon zich wel voor het hoofd slaan dat ze er niet eerder aan had gedacht. 'Er is een klein poortje. In de tijd dat ik hier werkte was er nauwelijks iemand die ervanaf wist. We hebben het gebruikt om koningin Leila in veiligheid te brengen. Misschien kunnen we daarlangs naar binnen.'

'Waar is het?' vroeg Thom.

'Ik breng je ernaartoe.'

'We gaan met twintig man,' zei Thom. 'Danica, jullie blijven paraat om naar binnen te stormen zodra wij dat hek hebben opgehaald.'

Danica knikte, dankbaar voor de verantwoordelijkheid die Thom haar gaf.

De boomgaard aan de achterkant van het paleis was helemaal verwilderd. De weelderige kruinen boden voldoende beschutting voor de twintig gewapende mannen en vrouwen die zich omzichtig naar de paleismuur bewogen. Het poortje waar Kirsha hen naartoe leidde was grotendeels overgroeid door klimop, die zich overal langs de muur een weg naar boven zocht.

'Hier is het,' zei ze zacht.

Scherpe zwaarden maakten de deur snel vrij. Thom greep de kruk en duwde, maar de deur gaf niet mee.

'Er ligt waarschijnlijk nog steeds een dwarsbalk voor,' zei Kirsha.

'En als we de deur inbeuken, maken we zo veel lawaai dat ze ons aan de andere kant zullen staan opwachten,' mompelde Thom.

'Ik kan over de muur klimmen,' opperde Aiko, een van de Cahayaanse mannen. 'Die klimop houdt me wel.'

Hij trok aan de ranken om hun stevigheid te testen. Thom knikte alleen maar. Aiko greep de dikste rank vast en haastte zich naar boven. Snel als een spin kroop hij op de muur en verdween over de rand. Even later klonk het geluid van een balk die verschoven werd en zwaaide het poortje open. Thom gaf Aiko een klopje op de schouder en gebaarde dat de anderen hem moesten volgen. Verbaasd dat ze geen enkele tegenstand ontmoetten, slopen ze tussen de stallen door. De plek achter de stallen werd blijkbaar alleen gebruikt om mest te dumpen.

Thom stak zijn arm op. Iedereen bleef staan, de rug tegen de stalmuur gedrukt. De bedrijvigheid op het binnenplein was groot. Soldaten liepen heen en weer, bedienden haastten zich over de open plek alsof ze bang waren dat er elk moment een pijlenregen op hen neer kon dalen.

'Naast de grote poort zit een mechanisme om het stalen hek neer te laten en op te halen,' zei Kirsha. 'Het gebeurt automatisch.'

'Zonder mankracht?'

Kirsha knikte. 'Een van onze infiltranten heeft gezien hoe het werkt. De wachters zetten gewoon een hendel naar boven of naar beneden en het hek beweegt vanzelf. Het systeem zou werken op kristallen.'

Thom had genoeg bewijs gezien van de kracht van kristallen om niet te twijfelen aan haar woorden.

'Dus we moeten in het wachtlokaal zien te komen,' zei hij.

'Ik kan het doen,' zei Kirsha.

Ze gordde haar zwaard los en gaf het aan Thom. Die schudde zijn hoofd.

'Te gevaarlijk,' zei hij.

'Het is onze beste kans. Je ziet dat er meer vrouwen rondlopen. Ze zullen me voor een van de bedienden houden. Het zal zelfs niet opvallen dat ik me haast. Iedereen rent hier.'

Thom moest toegeven dat daar iets inzat en stemde met tegenzin in met haar voorstel.

'Zodra jij dat lokaal bereikt, zullen wij voor afleiding zorgen,' zei hij. Hij legde zijn hand op haar onderarm. 'Wees voorzichtig.'

Kirsha controleerde snel of de kust veilig was en haastte zich toen over het binnenplein. Ze had gelijk gehad. Niemand schonk aandacht aan de vrouw die zich net als de anderen in veiligheid leek te willen brengen. Pas toen ze in de buurt van het wachtlokaal kwam, sprak een sergeant haar aan.

'Hé daar, wat moet je?'

'Ik ga naar het wachtlokaal.'

'Daar heb je niets te zoeken.'

'De kok heeft me gestuurd om te vragen of iemand iets nodig heeft.'

De sergeant pakte Kirsha ruw bij de arm.

'Zeg tegen die bemoeizieke kok dat we wel zullen roepen als we iets nodig hebben. Hier wordt gevochten, vrouwen kunnen we hier missen als de pest.'

Kirsha had al haar zelfbeheersing nodig om haar mes niet onder haar hemd uit te trekken. Ze keek wanhopig naar de stallen. Alles dreigde te mislukken.

'Trouwens, hoe ga jij eigenlijk gekleed? Waar is je schort? Niemand in de keuken loopt zonder schort rond.'

De sergeant bekeek Kirsha van top tot teen en trok een achterdochtig gezicht.

'Misschien moet ik maar even met je meelopen naar de keuken om te zien of je verhaal wel klopt.'

Op dat moment werd zijn aandacht getrokken door kreten verderop. In de buurt van de stallen liep een groep mannen en vrouwen het binnenplein op. Twee soldaten die in hun weg stonden werden neergestoken.

'Verduiveld!' riep de sergeant. 'Te wapen! Ze zijn binnen!'

Hij liet Kirsha los en trok zijn zwaard.

'Te wapen! De vijand is binnen!'

Overal werden zwaarden getrokken en de Skyrth-soldaten liepen op de indringers af. Van alle kanten stroomden ze toe.

Kirsha zag haar kans schoon en haastte zich in de chaos naar het wachtlokaal.

'Help!' riep ze met paniek in haar stem. 'Indringers! Ze zijn het paleis binnengedrongen.'

De twee wachters die in het lokaal aanwezig waren sprongen op.

'Nee, jij blijft hier,' zei de ene tegen de andere. 'We mogen de poort niet onbewaakt laten.'

Zonder een antwoord af te wachten liep de man naar buiten. Kirsha aarzelde niet. Ze trok haar mes en plantte het in de rug van de achtergebleven wachter. Nog voor hij de grond raakte had ze hem al naar binnen gesleept. Ze sloot de deur en barricadeerde hem met een kast die ze omvergooide. Naar de hendel hoefde ze niet te zoeken. Die hing duidelijk zichtbaar tegen de muur. Ze pakte de hendel vast en klikte hem naar boven. Dat ging verbazend makkelijk. Ratelend zette het stalen hek zich in beweging. Buiten werd in paniek geschreeuwd en kort daarna werd er hevig op de deur gebonsd. Kirsha ging met haar rug tegen de kast hangen en duwde uit alle macht. Ze moest volhouden tot Danica de kans had gezien binnen te komen.

Het hek kwam in beweging en een adrenalinestoot stuwde door Danica's lichaam. Ze hief haar zwaard en schreeuwde haar mensen voorwaarts. Onder luid gebrul stormden de aanvallers naar de poort. Wie een schild had, hield dat boven het hoofd ter bescherming tegen de pijlen die op hen afgevuurd werden. Velen werden getroffen door de dodelijke projectielen, maar wie gespaard bleef rende onverminderd verder. De eersten bereikten de poort al en stonden oog in oog met de soldaten die hen probeerden terug te drijven.

Thom en zijn mensen vochten als leeuwen. Zodra de sergeant Kirsha's arm greep, had Thom begrepen dat ze in actie moesten komen. Tijdens het gevecht merkte hij dat het hek in beweging kwam. Het was Kirsha gelukt. Soldaten renden naar de poort om de doorgang te versperren. Thom sloeg het zwaard weg van een soldaat voor hem en raakte de man in de buik. Hij slingerde een lichtstraal naar de poort en raakte een paar soldaten die daar klaarstonden om de aanvallers terug te slaan. Met de tweede straal brak de paniek uit. De Skyrth-soldaten wisten niet wat hun overkwam. De eerste aanvallers kwamen al onder de poort door. Thom liep naar de muren toe en vuurde lichtstralen af naar de boog-schutters boven op de transen. Enkelen vielen schreeuwend en brandend als toortsen naar beneden. Anderen probeerden zich in veiligheid te brengen. Het gevecht was hevig, maar het duurde niet lang. De paniek die de vurige stralen veroor-zaakten, greep om zich heen en na korte tijd gaven de over-levende soldaten zich over. Gejuich steeg op uit de kelen van de opstandelingen. Ze hadden het hart van de Skyrth veroverd.

Kirsha voegde zich bij Thom. Hij omhelsde haar en zei: 'Het is je gelukt. Fantastisch.'

Kirsha glimlachte alleen maar. Haar hart ging wild tekeer. De zoon van haar koningin die haar omhelsde binnen de muren van het paleis waar hij thuishoorde!

'We moeten de Grootvorst vinden,' zei Thom.

Hij riep Danica bij zich en deelde instructies uit. Het paleis moest uitgekamd worden op zoek naar de leider van de Skyrth. Pas als hij die in handen had, zou Thom gerust zijn.

44.

Gerolf Breitsang liep in paniek door de gangen van het paleis. Het strijdgewoel maakte hem gek. Hij had net gezien hoe Smidsung brandend van de trans was gevallen. Hij stond bij de boogschutters toen vanuit het niets een felle lichtstraal hem raakte. Met ogen groot van ontzetting zag Breitsang dat de lichtstralen ontsnapten aan de handen van een vreemdeling op de binnenplaats. Eerst was er niets en dan was er ineens die vurige straal. Dit was pure magie. Bang om te eindigen als Smidsung zocht hij een veilig heenkomen in zijn eigen vertrekken. Hij had een grote kamer, een kleine badkamer en een kleine werkruimte. In zijn kamer stonden twee grote kasten, een voor zijn kleding en een voorraadkast. Hij keek de kamer rond alsof hij hoopte dat hij ergens een schuilplaats kon ontdekken die hij nooit eerder had opgemerkt. Na een korte aarzeling besloot hij zich in zijn voorraadkast te verstoppen. Als zijn laatste uur dan toch had geslagen, kon hij zich net zo goed nog tegoed doen aan het lekkers dat hij had bewaard. Om de een of andere gekke reden had de angst zijn eetlust niet aangetast. Integendeel, hij kreeg honger als een paard. Breitsang kroop in de kast en trok de deur met één vinger dicht. Hij opende een blikken doos met koeken en ging met opgetrokken benen op de bodem van de kast zitten, als een bange wezel in zijn hol, wachtend op het onvermijdelijke.

De grote deur zwaaide open en Thom staarde verrast naar de grote troonzaal die zich voor hem openbaarde. De troon in de verte deed hem aan zijn droom denken. Hij aarzelde even voor hij verderliep.

'Wat is er?'

Kirsha stond naast hem. Ze kende de troonzaal. Ze was het decor geweest van het huwelijk van Zenerius XV met Leila. Glimmend van trots had Kirsha toegekeken hoe Leila het plechtige jawoord had gegeven, zonder ook maar de minste trilling in haar stem. Toen al was Kirsha ervan overtuigd geweest dat Leila een prima koningin zou worden.

'Ik denk dat ik van deze plek gedroomd heb. De zuilen, de troon…'

Thom liep de hal in en keek om zich heen, half in de verwachting dat hij gedaanten tussen de zuilen zou zien. Zijn voetstappen klonken hol in de enorme zaal.

'Hier is niemand, Thom. We moeten verder zoeken.'

Met lichte tegenzin draaide Thom zich om. Hij vroeg zich af wat het tegenstrijdige gevoel binnen in hem was. Hij herkende de plaats, maar het voelde helemaal niet zoals het in zijn droom had gevoeld. De magie die hem in zijn droom zo sterk had overvallen, was hier totaal niet aanwezig. Hij schudde de teleurstelling van zich af. Eerst moesten ze de Grootvorst vinden.

Met het zwaard in de hand liepen Thom en Kirsha zij aan zij door de gangen. Thom trapte deuren open en doorzocht elke kamer die ze tegenkwamen. Van de Grootvorst was echter geen spoor. Onrust nestelde zich in Thoms hoofd. Had de Grootvorst toch een manier gevonden om weg te komen? Wat als hij al onderweg was om zijn plan om Zeneria te laten overstromen uit te voeren? Gefrustreerd trapte hij opnieuw een deur open. De deur sloeg met een klap tegen de muur.

Breitsangs adem stokte. Hij zat met zijn mond vol koek, maar durfde niet verder te kauwen. Er was iemand in zijn kamer. Zijn hart ging als een razende tekeer en hij was ervan overtuigd dat degene die net zijn deur had ingetrapt het bonzen van zijn hart zou kunnen horen.

'Hier is hij ook niet,' hoorde hij iemand zeggen. De mannenstem vloekte luid.

'Je mag de moed niet opgeven.' Een vrouwenstem. 'We zullen hem vinden. Al moeten we het hele land uitkammen. Hij zal zijn straf niet ontlopen.'

'Je begrijpt het niet. Hij kan heel Zeneria onder water zetten. Als we hem niet vinden is het afgelopen met ons, ook al hebben we de Skyrth verslagen.'

Breitsang deed het bijna in zijn broek van schrik. Zijn handen trilden zo hevig dat hij het blik met koeken liet vallen. Van schrik slaakte hij een gilletje, waarbij de stukjes koek uit zijn mond vlogen. Hij sloeg zijn hand voor zijn mond, maar het

was te laat. Het volgende moment werd de kastdeur open-
gerukt en voelde hij het koude staal van een zwaardpunt
tegen zijn keel. Trillend op zijn benen kwam hij de kast uit.
Het gezicht van de jongeman met het zwaard stond grimmig.
'Ik ken hem,' zei Kirsha. 'Jij bent Gerolf Breitsang, is het niet?'
Breitsang keek Kirsha aan, maar antwoordde niet. Hij was te
zeer onder de indruk van de zwaardpunt die tegen zijn keel
gedrukt bleef.
'Hij is de rechterhand van de Grootvorst,' zei Kirsha.
'Dan komen we eindelijk een stap dichterbij,' zei Thom.
Zijn frustratie maakte plaats voor nieuwe hoop. Hij pakte
het kleine mannetje bij de kraag en trok hem op, zodat hij
nog net op de toppen van zijn tenen steunde. De kruimels
vielen van Breitsang af en hij jammerde klaaglijk.
'Waar is de Grootvorst?' vroeg Thom.
Breitsang keek hem alleen maar bang aan.
'Heb je je tong verloren? Je kunt kiezen,' zei Thom ongeduldig,
'of je beantwoordt mijn vraag, of ik dood je ter plekke.'
Breitsang piepte. Thoms dreigement miste zijn uitwerking niet.
'Hij is weg.'
Thom tilde Breitsang nog wat hoger op. Zijn voeten raakten
de grond niet meer en hij hijgde hulpeloos.
'Naar de Tempelberg. Hij is naar de Tempelberg.'
'Je liegt! Niemand heeft de Grootvorst het paleis zien verlaten.
Hij is hier nog. Als je hem blijft beschermen, mag je je
miserabele leven meteen vaarwel zeggen. We vinden hem
wel zonder jouw hulp.'

Thoms ogen schoten vuur en Breitsang schrompelde in elkaar. Hij voelde zich ellendig.

'Ik kan het jullie laten zien,' hijgde hij.

Thom dacht even na en liet de kleine man toen zakken.

'Eén verkeerde beweging en je vertelt het niet meer na.'

'Ja, heer,' zei Breitsang, hevig knikkend. Hij fatsoeneerde zijn kleding en haalde opgelucht adem. Voorlopig was zijn leven gered. Hij ging Thom en Kirsha voor naar de lift. Hij trok het metalen hek open en verzocht hun de kleine kooi in te gaan.

'Jij gaat eerst, kereltje,' zei Thom. 'En geen geintjes, of…'

Thom hield zijn adem in. Die metalen kooi die vanzelf omlaag ging stelde hem niet op zijn gemak. Breitsang zei dat ze het een lift noemden en dat hij werkte op kristalenergie. De lift stopte en Breitsang duwde het ijzeren hek open. Ze stonden op een platform in een tunnel. Links van hen stond een metalen, eivormige capsule. Thom kreeg het gevoel dat ze werden beetgenomen. Er was niemand te bekennen.

'Waar is hij?' vroeg hij bits.

Hij greep Breitsang bij de kraag. Die spartelde als een vis op het droge.

'Laat me los, dan leg ik het uit.'

Met tegenzin liet Thom hem los.

'Dit is een voertuig,' zei Breitsang. 'Deze tunnel leidt naar de Tempelberg.'

'Onmogelijk!' mompelde Thom. Maar tegelijkertijd herinnerde hij zich ineens een soortgelijke capsule, die voor zijn ogen was weggeschoten in het geboortehuis. De tunnel had er gelijkaardig uitgezien. Dit was vast weer een staaltje Skyrth-technologie, net als het drijvende eiland en de liftkooi.

'En de Grootvorst is daar?' Voor het eerst zei Kirsha ook iets. Breitsang keek haar aan alsof hij verwonderd was dat een vrouw zich rechtstreeks tot hem wendde. Hij knikte.

'Weet jij hoe dat ding werkt?' vroeg Thom.

Weer knikte Breitsang. 'De bediening is heel eenvoudig. Je moet gewoon…'

'Jij brengt ons naar de Tempelberg,' onderbrak Thom hem.

Breitsang werd bleek. Kirsha pakte Thoms arm vast.

'Is dat wel verstandig? We hebben hulp nodig. Je weet niet met hoeveel ze daar zijn.'

'Je hoeft niet mee te gaan, Kirsha. Maar ik kan niet wachten. Elke seconde telt. We verliezen te veel tijd als we eerst nog versterking gaan zoeken. Ik ga. Verwittig jij Danica en zeg dat ze de tunnel moeten volgen.'

'De Tempelberg ligt ver weg, Thom. Te voet kost het hun veel te veel tijd. Ik ga met je mee.'

Kirsha's gezicht stond vastberaden en Thom zag in dat verder argumenteren geen zin had. Ze was ouder dan hij; ze nam haar beslissingen zelf. Hij gaf Breitsang een duw.

'Doe dat ding open. We gaan.'

Zachtjes jammerend deed Breitsang wat hem bevolen werd. Thom en Kirsha namen plaats op de harde, metalen banken in de capsule. Breitsang sloot de deur en nam plaats bij het controlepaneel. Thom keek toe hoe hij op een knop in het midden van het paneel drukte. Het paneel lichtte op. Breitsang legde zijn hand op een hendel en trok die vervolgens naar zich toe. Hij zette zich schrap toen een zoemend geluid weerklonk en een lichte schok door de capsule heen ging. Ze bewogen. Kirsha greep zijn hand vast en kneep erin. Geen van beiden zeiden ze iets, maar ze waren bang.

Het zoemen nam af en de capsule kwam tot stilstand. Thom haalde opgelucht adem, maar Breitsang leek zenuwachtig te worden. Hij haalde telkens opnieuw de hendel over en vloekte.
'Wat is er aan de hand?'
'De capsule is stilgevallen. Ik begrijp het niet,' zei Breitsang.
'Ik zal… ik kijk even buiten.'
Hij opende het luik en stak zijn hoofd naar buiten. Toen hij het weer terugtrok, keek hij Thom en Kirsha lijkbleek aan.
'Het water,' stamelde hij. 'Het plan is ingezet.'
Thom duwde hem opzij en keek op zijn beurt naar buiten. Een onzichtbare lichtbron verlichtte de tunnel flauwtjes. De bodem stond onder water. Waarschijnlijk was de capsule daardoor stilgevallen. De geur herkende hij uit duizenden: zeewater! De Grootvorst zette zijn plan door. Hij liet Zeneria onderlopen.
'We moeten hieruit!' riep hij.
Breitsang wachtte niet. Met een behendigheid die niemand van hem ooit had verwacht sprong hij uit de capsule, het water in. Dat reikte al bijna tot zijn knieën. Zo snel hij kon

waadde hij verder in de richting die de capsule had gevolgd. Kirsha en Thom volgden zijn voorbeeld.

'Verderop is de liftkooi naar de Tempelberg. Het kan niet ver meer zijn. We waren er bijna.' Breitsang hijgde als een versleten blaasbalg.

Thom pakte Kirsha's hand vast en begon te rennen. Het water kwam tot aan hun kuiten en spatte hoog op.

'Wacht op mij!' gilde Breitsang angstig toen ze hem voorbij renden.

Maar Thom schonk geen aandacht aan de angstkreet. Hij wist waar water toe in staat was. Als ze niet op tijd bij die liftkoker kwamen, zouden ze onherroepelijk verdrinken. Achter hen viel Breitsang voorover in het water.

'Help!' gilde hij. Hij krabbelde overeind en probeerde zich opnieuw een weg te banen door het alsmaar stijgende water. Het kwam al tot zijn dijen en met zijn armzalige fysieke conditie kon hij de anderen niet bijhouden. Hij verloor steeds meer terrein en peddelde met zijn handen om sneller vooruit te komen.

Thom en Kirsha konden niet meer rennen. Het water kwam al tot boven hun knieën en remde hen stevig af. Met grote passen waadde Thom verder, zo snel hij kon. Hij hield Kirsha's hand stevig vast. De beelden van de grot op zijn eigen eiland kwamen weer naar boven. Daar had het stijgende water ook levens geëist. Nu was de zee op hun leven uit. Verwoed begon hij nog sneller te waden. Hij mocht dit niet laten gebeuren. Enea was daarbuiten, en Jari. Hij was niet zo ver gekomen om hen nu gewoon te laten verdrinken. Wanhopig keek hij naar zijn handen; hij besefte dat zijn Gave hier niets vermocht. Met vuur kon hij tegen dat water niets beginnen.

Het gejammer van Breitsang werd minder luid; ook zonder om te kijken wist Thom dat ze steeds verder op hem uitliepen. Daar kon hij zich niet druk om maken. Een ruk aan zijn hand hield hem tegen. Kirsha was gevallen en liet zijn hand los. Hij stopte onmiddellijk, greep haar vast en hielp haar overeind.

'Niet opgeven, Kirsha. We moeten verder.'

Kirsha knikte hijgend. Hij pakte haar hand weer stevig vast en sleepte haar bijna met zich mee. Het koude water kwam nu tot aan hun middel en bleef maar stijgen, hoe langer hoe sneller.

'We halen het niet,' hijgde Kirsha.

'Dat doen we wel! Houd moed!'

Achter hen voerde Gerolf Breitsang een ongelijke strijd. Hij struikelde voor de derde keer en kreeg een gulp zeewater naar binnen. Hoestend en proestend kwam hij overeind. Het zout brandde in zijn keel. Roepen naar de twee die verderop voor hem uit liepen, had geen zin, besefte hij. Ze hadden geen enkele reden om hem te redden. In paniek waadde hij verder, tegen beter weten in. Het water bereikte zijn borst en hij vervloekte zichzelf omdat hij nooit had leren zwemmen. Hij had altijd al een hekel aan water gehad.

Het schoot door zijn hoofd dat het zijn eigen meester was die voor deze overstroming zorgde. De man die hij altijd zo trouw had gediend, zorgde er nu voor dat hij vroegtijdig zou sterven. En toch koesterde Breitsang geen wrok. Hij had altijd een vast geloof gehad in het project van de Skyrth en een rotsvast vertrouwen in de Grootvorst, hoe bang hij ook voor hem was.

Het water kwam tot aan zijn kin. Zag hij daar in de verte de extra verlichting van het platform? Heel even flitste een sprankje hoop door hem heen en hij probeerde vruchteloos sneller vooruit te komen. Hij moest zijn hoofd al achterover houden om met zijn neus boven water te blijven. Hij haalde het niet, besefte hij.

Breitsang begon hulpeloos te spartelen om boven te blijven. Hij kreeg opnieuw een gulp water binnen en begon te hoesten. Daardoor kreeg hij nog meer water te slikken. In paniek sloeg hij met zijn armen om zich heen, maar hij wist dat het voorbij was. Hij deed nog een laatste vruchteloze poging maar zijn tenen raakten de grond al niet meer. Een nieuwe gulp water die hij binnenkreeg maakte de paniek compleet. Even later verdween het hoofd van Gerolf Breitsang onder water en kwam niet meer boven.

'We halen het niet,' hijgde Kirsha opnieuw. Het koude water kwam al tot aan haar borst en dreigde haar te verlammen.

'Ik denk dat ik iets zie,' hijgde Thom. 'Hou vol.' Hij negeerde de kou die zich in elke vezel van zijn lichaam nestelde.

Hij had echt iets gezien. Voor hen uit was er meer licht. Met zijn linkerhand hield hij Kirsha's hand stevig vast en met zijn rechterarm maakte hij zwembewegingen om sneller vooruit te komen. Zijn hand stootte tegen iets hards. Een platform. Dit moest een platform zijn om uit te stappen. Hij kroop op de verhoging en hielp Kirsha erop. Ze stonden nu nog maar tot aan hun middel in het water. Wat verderop vonden ze een liftkooi. Thom trok aan het hek, maar dat gaf niet mee. Met twee handen rukte hij aan het weerspannige metaal, maar hij kreeg er geen beweging in. Hij schreeuwde het uit van frustratie.

'Thom! Kijk hier!'

Kirsha stond verderop en wees naar een nis met een trap die naar boven leidde. Zonder aarzelen pakte Thom weer haar hand en liep de donkere trap op. 'Hou je hand tegen de muur,' zei hij.

Zo snel ze konden, liepen ze naar boven. Al gauw werden ze omgeven door een inktzwarte duisternis. De zilte geur van het zeewater achtervolgde hen. De enige geluiden kwamen van het water dat tegen de traptreden klotste en van hun eigen hijgende ademhaling. De natte kleren aan hun lijf deden hen beven van de kou. Kirsha's greep verslapte en als reactie kneep Thom nog harder in haar hand.

'Wacht even,' hijgde Kirsha. 'Ik kan niet meer.'

Ze bleven even staan uithijgen en Thom voelde haar hand in de zijne trillen. Ze was ijskoud. Als ze niet in beweging bleven, zou ze zo meteen geen voet meer voor de andere kunnen zetten.

'We moeten verder, Kirsha,' drong Thom aan.

'Het gaat niet, ga alleen verder. Ik kan echt niet meer.'

Wanhoop dreigde Thom te overmannen. Hij mocht niet opgeven. Maar hij kon Kirsha ook niet in de steek laten.

'Waar ben je, moeder?' mompelde hij. 'Ik heb je nodig.'

Zijn rechterhand begon te gloeien. De zachte gloed leek op een lichtpunt van hoop in de inktzwarte duisternis. Aarzelend legde hij de hand op Kirsha's rug, terwijl hij de energie heel traag door zijn lichaam liet stromen. Kirsha liet een behaaglijk gekreun horen. Daardoor aangemoedigd liet Thom de energie ook van zijn linkerhand in de hare stromen. Zelf voelde hij de warmte ook en met de gloed vloeide er nieuwe kracht door hem heen. In gedachten dankte hij zijn moeder, dankte hij de Gave. Gedurende enkele ogenblikken bleven ze zo staan. Kirsha leunde tegen Thom aan en het gevoel van haar lichaam tegen het zijne verwarde hem. Hij besefte dat ze heel veel voor hem was gaan betekenen, alsof zij de schakel was die hem met zijn echte moeder verbond. Hij drukte een zachte kus op haar voorhoofd en leidde haar toen verder naar boven.

Na een tijd stootte Thom met zijn hand op een obstakel. Tastend stelde hij vast dat het een deur was die hun de weg versperde. Ze zat niet op slot.

Achter de deur was licht. Met grote ogen keken Thom en Kirsha naar de gigantische grot. Grote metalen koepels waren door buizen met elkaar verbonden. Thom herkende de installatie die hij op zijn eigen eiland ook had gezien, alleen was deze veel groter. Dit was het hart van Zeneria. Hij wist ook onmiddellijk wat hij hier miste. Er klonk geen zoemend geluid. Het systeem lag stil!

'Wat is dit?' bracht Kirsha ademloos uit.

'We moeten snel zijn,' zei Thom alleen.

Hij trok haar mee de grot in, op zoek naar een manier om naar boven te gaan. Wat verderop zagen ze een kooi die identiek was aan de liftkooi waarin ze met Breitsang naar beneden waren gegaan. Het hek ging gemakkelijk open. Thom trok Kirsha mee naar binnen en pakte de hendel vast. Breitsang had de hendel naar beneden getrokken, dus als hij nu het omgekeerde deed, zouden ze vast stijgen. Tijd om te aarzelen hadden ze niet, dus hij duwde de hendel omhoog. Met een lichte schok kwam de kooi in beweging.

Kirsha en Thom keken elkaar zwijgend aan. Ze hadden geen plan, ze wisten alleen dat, wat ze ook zouden doen, ze het snel moesten doen. Het lot van iedereen op Zeneria lag nu in hun handen. Kirsha omklemde het gevest van haar zwaard. Als het moest, zou ze vechten tot de laatste snik.

De lift stopte. Thom opende de kooi en stapte naar buiten, beducht op het minste teken van gevaar. Ze liepen door een korte gang en kwamen in de open lucht terecht. Voor hen uit liep een kleine trap naar boven, met muren aan weerskanten. Het uitzicht dat ze boven kregen deed hen naar adem happen. Voor hen bevond zich een grote, felwitte tempel. Verder weg stonden nog meer gebouwen, maar geen enkel kon zich meten met de pracht van de tempel.

'Ik denk dat we de Grootvorst daar zullen vinden,' zei Thom. Ze wilden samen naar de tempel lopen toen een tiental soldaten op hen afkwam. Kirsha trok meteen haar zwaard. 'Ga naar de tempel,' riep ze. 'Doe wat je moet doen!' Moedig ging ze wijdbeens voor Thom staan, klaar om de ongelijke strijd aan te gaan. Maar Thom duwde haar opzij en strekte zijn armen met de handpalmen naar voren. Verblindende lichtstralen raakten de aanstormende soldaten. Enkelen vielen dodelijk getroffen neer.

Thom pakte Kirsha's hand en trok haar mee in de richting van de tempel. Ze liepen de grote trappen op en kwamen oog in oog te staan met twee wachters die hun de weg wilden versperren. Zonder aarzeling wierp Kirsha zich met geheven zwaard op een van hen. De wachter week achteruit door de felheid van haar aanval. De tweede wilde Thom aanvallen, maar voor hij de kans daartoe kreeg, knalde Thom hem met een lichtstraal tegen de tempelpoort. De man zeeg dood neer. De soldaat die in gevecht was met Kirsha ontweek een stoot van haar zwaard en hief zijn wapen naar haar hoofd. Kirsha dook weg, maakte een draai om haar as en wilde uithalen. Maar ze stapte mis en schoot van de trap af. Met een schreeuw rolde ze enkele treden naar beneden. De wachter wilde zich tegen Thom keren, maar die vuurde een lichtstraal op hem af voor hij iets kon doen. Schreeuwend van de pijn rolde de man de trappen af.

'Ga naar binnen!' riep Kirsha. 'Laat me!'

Een stuk of twintig nieuwe soldaten kwamen eraan. Ze waren al bijna bij de trap. Thom negeerde Kirsha's roep en snelde de trap af om haar te helpen.

'Mijn voet, ik kan niet staan,' hijgde ze.

Thom legde haar arm over zijn schouder en hielp haar overeind. De soldaten naderden snel.

'Bijt op je tanden. Ik neem je mee naar binnen!'

Een schreeuw ontsnapte aan Kirsha's lippen toen ze op de voet probeerde te steunen. Ze liet zich meeslepen en probeerde zo goed mogelijk te hinken om Thom niet op te houden. De soldaten waren al aan de voet van de trap toen ze de tempel binnengingen. Thom sloot de dubbele deur en schoof de grote dwarsbalk ervoor.

'Dat moet ze wel een tijdje buitenhouden. Gaat het?'

'Maak je om mij geen zorgen. Ik red me wel.'

Kirsha liet zich naast de deur tegen de muur zakken terwijl er buiten hard op de deur gebonsd werd.

'Haast je,' zei ze.

Voor Thom strekte zich een enorme hal uit. Een sterk gevoel dat hij hier eerder was geweest overviel hem. Een schok ging door hem heen toen hij de plaat met de in goud gegraveerde letters voor zijn voeten zag.

WELKOM IN HET HART VAN ZENERIA. DE WAANZIN VAN VERNIELING WERD HIER TOT STAAN GEBRACHT.
HIER VINDT DE MENS ZICHZELF TERUG. OVERSCHRIJD DEZE STEEN ALLEEN ALS U ZUIVER VAN HART BENT.

Het was dezelfde spreuk die hij in zijn dromen had gezien. Dit was zijn plek. Dit was zijn thuis. Thom liep over de steen met de inscriptie en toen pas zag hij de troon. Hij stond een heel eind verderop in de gigantische hal. Door hoge ramen vielen strepen zonlicht naar binnen. Een eind achter de troon zag hij grote controlepanelen, net zoals die op het kunsteiland. Ongetwijfeld stuurde de Grootvorst de overstroming van daaruit.

Een fel gekraak deed Thom omkijken.

'De deur gaat het begeven!' riep Kirsha.

Thom nam een beslissing. Kirsha had gelijk: die dwarsbalk zou het niet eeuwig houden. Hij kon de aanvallers net zo goed met deur en al wegblazen. De barrière kon beter nu verdwijnen dan straks achter zijn rug.

'Ga opzij!'

Kirsha rolde weg en Thom hief zijn armen. Hij richtte zijn beide handpalmen naar de deur en riep de Gave op. De felle energiestoot bleef uit. Thom sloot zijn ogen en concentreerde zich, maar er gebeurde niets.

'Waar wacht je op?'

'Het gaat niet!'

'Probeer het dan opnieuw!'

'Dat doe ik, Kirsha! Er gebeurt helemaal niets.'

Kirsha kroop naar de deur en hees zichzelf overeind. Met één voet zette ze zich schrap terwijl ze met haar rug tegen de deur leunde.

'Ik probeer ze tegen te houden! Ga!'

Haar stem weergalmde tegen de gewelven.

'Ik ben onder de indruk,' klonk het ineens.

Thom verstijfde. Hij draaide zich om en zag een donkere figuur tussen de pilaren tevoorschijn komen. De man liep naar de troon en bleef ervoor staan.

'Kom toch dichterbij.' Hij wenkte Thom.

Achter Thom werd aanhoudend op de houten deur gebeukt. Kirsha probeerde de deur uit alle macht dicht te houden, maar het was duidelijk dat ze dat niet lang meer zou kunnen volhouden. Heel even aarzelde Thom of hij haar moest helpen, maar de donkere figuur voor hem leek aan hem te trekken. Behoedzaam liep Thom dichter naar hem toe.

'Mocht je het je afvragen: ik ben de Grootvorst, heerser over Zeneria. Je bent taaier dan ik dacht. Ik had eerlijk gezegd niet verwacht dat je helemaal tot hier zou komen. Maar ik vrees dat je te laat bent.' De Grootvorst wees met een breed gebaar naar de indrukwekkende apparatuur achter hem. 'Het proces van overstroming is ingezet en ik ben niet van plan het een halt toe te roepen. En laat me raden, jij hebt niet de kennis om het ongedaan te maken, als ik je al in de buurt van de apparatuur zou laten komen.'

'Wat heb je aan een land dat helemaal is ondergelopen?' vroeg Thom. 'Zonder mensen om over te regeren?'

'Daar vergis je je in,' zei de Grootvorst spottend. 'Heb je de gebouwen buiten niet gezien? Eentje is voor het kleine garnizoen dat hier gelegerd is. In de overige gebouwen groeien al jaren kinderen op. Gekweekt door Skyrth-leden te laten paren met vrouwen van de eilanden. Ze zullen het nieuwe Zeneria bevolken. Als het water het land gezuiverd heeft, draai ik het proces om. Zeneria zal opnieuw oprijzen uit de golven en de voedingsbodem worden van een rijk dat bevolkt wordt door een select ras. En ik zal de schepper zijn. Lang na mijn dood zal iedereen zich mij herinneren als de vader van een groot volk.'

'Je bent gek,' zei Thom.

'In jouw ogen misschien,' lachte de Grootvorst. 'Ik hou het liever op machtig. Of je het nu leuk vindt of niet, ik heers over alle leven op Zeneria.'

'Dit is mijn land,' zei Thom ijzig kalm. 'Dat is mijn troon.'

De Grootvorst begon onbedaarlijk te lachen.

'Je klinkt alsof je het meent. Kijk achter je. Je eenmansleger staat op het punt te verliezen.'

Weer kraakte de deur vervaarlijk. Kirsha deed wat ze kon om de druk op de dwarsbalk te compenseren.

'Die is al even dwaas als jij,' zei de Grootvorst spottend.

Opnieuw probeerde Thom tevergeefs het vuur in zijn handen op te wekken.

De Grootvorst grijnsde: 'Je tovertrucjes blijken hier niet te werken. Jammer voor jou. Had je nu echt gedacht dat je dit land zomaar kon innemen? Ik geef toe dat je het me knap lastig hebt gemaakt. Mijn leger verslaan was een sterk staaltje krijgsmanschap, dat kan ik niet ontkennen. Jij gelooft echt dat je een koningszoon bent, hè?'

'Koningin Leila is mijn moeder,' zei Thom trots. 'Ze is aan je klauwen ontsnapt om mij het leven te schenken. En nu kom ik mijn troon opeisen.'

Weer lachte de Grootvorst.

'Jij bent echt gek,' lachte hij. 'Je staat hier in een totaal verloren positie en toch blaas je nog zo hoog van de toren.'

'Zo verloren is mijn positie niet. Zoals je zelf al zei, heb ik je leger verslagen. Het paleis is in onze handen.'

'Jullie mogen het hebben,' zei de Grootvorst. 'Ik hoop dat je vrienden goed kunnen zwemmen. Zelf zal ik genoegen nemen met deze nederige stulp. Ik denk wel dat ik ermee zal kunnen leven. Die troon zit erg comfortabel, weet je.'

Om de vernedering compleet te maken ging de Grootvorst met veel vertoon op de troon zitten. Uitgedaagd door zo veel arrogantie trok Thom zijn zwaard en stormde op de Grootvorst af. Die sprong verrassend snel overeind en trok eveneens zijn zwaard, terwijl hij twee passen naar voren deed. Hij pareerde enkele slagen en nam toen zelf het initiatief. Thom werd achteruit gedrongen. De Grootvorst was een veel betere zwaardvechter. Met de moed der wanhoop weerde Thom de regen van slagen af. Heel even zag hij een gat in de verdediging van zijn tegenstander. Hij deed een stap naar voren en stootte recht naar de buik van de Grootvorst. Die doorzag de beweging en met een behendige zwaai sloeg hij Thoms zwaard uit zijn handen. Kletterend viel het staal buiten Thoms bereik op de grond.

'Het ziet ernaar uit dat je droom hier eindigt, koningszoon.'

De Grootvorst haalde uit, maar Thom kon nog net onder het zwaard wegduiken. Hij greep de arm van zijn tegenstander en gaf er een draai aan, waardoor de Grootvorst zijn zwaard liet vallen. Worstelend rolden de twee mannen op de grond. De Grootvorst was sterker, maar Thom was veel behendiger en wist zich telkens weer uit zijn greep los te maken. Thom probeerde zich boven op de Grootvorst te werken, maar die duwde hem met kracht van zich af en kroop naar zijn zwaard toe. Thom zag het gevaar en wierp zich opnieuw op de oudere man. Hij hield de arm in bedwang waarmee de Grootvorst naar het zwaard reikte. Daardoor zag hij niet wat de Grootvorst met zijn andere hand deed. Hij reikte naar zijn laars en wist de kleine dolk te pakken te krijgen die hij daarin verborgen had. Zijn hand omklemde het heft en in één beweging stak hij de dolk in Thoms zij. Met een kreet van pijn rolde Thom van de Grootvorst af en bleef op zijn knieën zitten. Hij greep naar de wond en zag het bloed tussen zijn vingers stromen.

Tijd om van de verrassing te bekomen kreeg Thom niet, want de Grootvorst rolde naar hem toe en stootte de dolk nu tot aan het heft in zijn borst. Hij liet het mes zitten en kwam overeind. Smalend keek hij naar Thom, die hem ongelovig aanstaarde. Thom greep naar het mes, maar hij had de kracht niet om het uit zijn lichaam te trekken. Hij zag de Grootvorst nog nauwelijks staan. Zijn luide gelach drong als vanuit de verte tot hem door. Bloed sijpelde tussen zijn vingers door en een druppel raakte de grond voor Thom zelf opzij neerviel en roerloos bleef liggen.

'Zeneria is van mij en van mij alleen,' lachte de Grootvorst terwijl hij naar de groter wordende bloedplas onder Thom keek.

Het vergieten van bloed in de tempel is die ene vergissing die je te veel hebt begaan.

De Grootvorst keek verrast op toen de stem door de enorme hal galmde. Tussen de zuilen stonden ontelbare, half doorschijnende figuren. Ze droegen lange kapmantels, die hun schouders en hoofden bedekten. De stem leek uit alle monden tegelijk te komen en weerkaatste tegen de gewelven. De Grootvorst stond als aan de grond genageld.

Je hebt Zeneria op onrechtmatige manier opgeëist. Je hebt de steen in de tempel overschreden zonder dat je zuiver van hart was. Maar door bloed over de tempelvloer te laten vloeien heb je die ene stap te ver gezet. De tempel is een plaats van vrede. Dit is een plaats van heling, niet van vernietiging.

'Wie… wat…?' stamelde de Grootvorst, bang voor de figuren, die dichterbij kwamen en een kring vormden rond de Grootvorst en het roerloze lichaam van Thom.

Wij zijn de geesten van de bloedlijn. De koningen van Zeneria ademen voor eeuwig in ons. Hun harten slaan op het ritme van Zeneria. Je noemt jezelf een vorst, maar je hebt jezelf net verdoemd.

'Jullie kunnen me niets maken,' stamelde de Grootvorst. 'Jullie zijn niet echt.'

Echter dan jouw aanspraak op een troon die niet de jouwe is.

'Hij is wel van mij. Zeneria is van mij!' schreeuwde de Grootvorst nu.

Door bloed te vergieten in deze tempel, heb je jezelf het recht op een menselijke dood ontnomen. We vervloeken jou. Je bent gedoemd om voor altijd tussen ons te zijn, maar zonder deel uit te maken van wie we zijn. De eenzaamheid zal aan je vreten, de wetenschap dat het koningschap zich buiten je bereik bevindt zal je gek maken. Je geest zal hier gevangen blijven en de pijn die je zult voelen kan met geen woorden beschreven worden.

'Jullie kunnen me niets maken! Ik ben de Grootvorst!'

Je hebt geen naam en je hebt geen titel. Je bent minder dan niets.

De Grootvorst draaide zich naar de troon, alsof hij zich in veiligheid kon brengen door erop te gaan zitten. De grond begon te daveren en de hele tempel leek op zijn grondvesten te schudden. De Grootvorst verloor zijn evenwicht en viel languit op de grond. In paniek krabbelde hij op en wilde weer naar de troon toe lopen.

Het is tijd voor herstel! klonk het luid.

Vanuit de kring van gemantelde figuren schoten felle lichtstralen op de Grootvorst af. Hij schreeuwde het uit terwijl hij omgeven werd door een helwitte gloed. De pijn schoot als duizenden messen door zijn lichaam en werd sterker naarmate het leven uit hem wegstroomde. Hij probeerde zich los te spartelen, maar het licht hield hem gevangen en begon hem te verteren. De gloed werd feller en het lichaam van de Grootvorst vervaagde. Zijn doodskreet galmde nog na toen het licht al gedoofd was.

Een donderend geraas vulde de atmosfeer en de hele Tempelberg trilde. De soldaten die op de poort van de tempel beukten, keken angstig om zich heen. Het licht gleed onder de poort door over de treden van de grote trap. Het omhulde de verschrikte mannen en vrat aan hun lichaam. Gek van angst sloegen sommigen met hun zwaard naar de ongrijpbare vijand. Anderen lieten hun wapen vallen en sloegen met hun handen tegen hun hoofd alsof ze zo konden verhinderen dat het licht naar binnen zou komen. De soldaten krijsten van pijn en ontzetting terwijl het licht hen van binnenuit verteerde. Korte tijd later lagen er alleen nog zwaarden op de trap.

Kirsha staarde ongelovig naar wat zich voor haar ogen afspeelde. Gillend was ze getuige geweest van hoe Thom werd neergestoken. Haar ogen vulden zich met tranen toen ze Thom zag neervallen. De Grootvorst triomfeerde. Ze wist dat haar leven ook voorbij was. Zeneria zou ten onder gaan. Haar kinderen. Haar broer. Niemand zou het overleven.
Ze veegde haar tranen weg toen ze de verandering opmerkte. Om een voor haar onduidelijke reden hield het beuken op de deur op. De Grootvorst begon te spreken. Hoewel er niemand anders was, reageerde hij duidelijk op iets. Hij leek bang te worden. Licht omhulde hem en hij begon te schreeuwen alsof hij pijn had. Het licht werd zo fel dat ze de Grootvorst niet meer kon onderscheiden. Alleen zijn door merg en been dringende gegil weerkaatste tegen de hoge gewelven. Toen doofde het licht en was hij verdwenen.

Kirsha wreef in haar ogen, maar ze had het goed gezien. De Grootvorst was nergens meer te bekennen. Alsof hij was opgelost in dat felle licht. Bij wat ze toen zag, dacht ze dat ze haar verstand verloor.

De stilte in de tempel was allesomvattend. De doorschijnende gestalten richtten hun hoofden op, hun blik gericht op de roerloze gestalte van Thom.

Het bloed van de koning hoort in zijn lichaam, niet op de vloer van de heilige tempel.

Het gefluister zocht zich een weg langs de muren en de gewelven. Lichtstralen gleden van de doorschijnende figuren naar het levenloze lichaam. Waar de stralen het bloed raakten, verdwenen de donkere vlekken op de vloer. Het lichaam van Thom werd omhuld door het felle licht en verhief zich langzaam van de grond. Op twee meter hoogte bleef het zweven en toen bewoog het langzaam in de richting van de troon, die mee in het licht baadde. Boven de troon hing het lichaam stil.

Thom is de naam die je moeder je gaf. Het kind is dood. Het heeft zijn naam teruggegeven. Maar de koning leeft. Zenerius XVI, aanvaard je naam, aanvaard de troon. Red Zeneria!

De stem klonk luid nu, donderde onder de gewelven door. Het lichaam van Thom zakte op de troon. De wolvenvacht die over de troon lag, drapeerde zich om hem heen. Meteen begon diep in hem een energie te stromen. Aarzelend eerst, maar al snel met een ongekende kracht. Hij opende zijn ogen en zijn oogbollen draaiden weg, waardoor een ogenblik lang alleen het wit van zijn ogen te zien was. Toen verdween het licht om hem heen en tegelijk ook de doorschijnende figuren.

Thom knipperde met zijn ogen. Zijn hand ging automatisch naar zijn borst, maar het mes was verdwenen, de wond was weg. Hij keek naar zijn zij: geen spoor van bloed. Maar zijn hart bonsde alsof hij net een grote inspanning had geleverd. Verward keek hij voor zich uit. Hoe kwam hij op de troon? Waar was de Grootvorst?

'Thom!'

Kirsha kwam aangehinkt. De ontreddering stond op haar gezicht te lezen. Toen ze bij hem kwam, gooide ze zich in zijn armen.

'Je leeft,' snikte ze.

Thom duwde haar voorzichtig van zich af en nam haar gezicht tussen zijn handen.

'Wat is er gebeurd? Waar is de Grootvorst?'

'Ik weet het niet. Hij is weg. Er was licht, veel licht. Toen begon hij te schreeuwen en was hij verdwenen. Maar Thom, je... je zweefde. Het was alsof dat licht je optilde en hier op de troon liet zakken. Ik kan nauwelijks geloven dat je nog leeft. Je... ik dacht dat je dood was.'

Thom probeerde zich iets te herinneren, maar het mes in zijn borst was het laatste beeld dat in hem opkwam. Langzaam kwam het volle besef waar hij was en wat er aan de hand was terug. Hij keek Kirsha doordringend aan.

'Het is nog niet voorbij, Kirsha. Het water. We moeten het water stoppen.'

45.

Lovennia en haar troepen bereikten het paleis in Zeneria-Stad. Een enorm gejuich steeg op toen duidelijk werd dat de laatste weerstand was gebroken. Lovennia liep de binnenplaats op en Danica kwam haar tegemoet.

'Waar is Thom?'

'Ik weet het niet, meesteres. Op zijn bevel kammen we het paleis uit, maar de Grootvorst is onvindbaar. Ook Thom hebben we niet meer gezien.'

'Hij kan toch niet weg zijn?'

'Het paleis is groot. Hij loopt vast ergens rond. Hij was samen met Kirsha op zoek gegaan naar de Grootvorst.'

Voor Lovennia nog iets kon zeggen, kwam een andere sectie-leidster met alarmerend nieuws.

'Het water stijgt. De kade staat al helemaal onder water!'

Iemand anders kwam uit het paleis gelopen. 'De kerkers zijn ondergelopen! En het water blijft stijgen!'

'Wat moeten we doen, meesteres?'

Lovennia keek vertwijfeld naar de mensen die haar het nieuws hadden gebracht. De schepen vormden geen oplossing. Die boden niet genoeg plaats om duizenden mensen in veiligheid te brengen.

'We moeten hoger gelegen gebied opzoeken,' zei ze. 'Laat het paleis ontruimen.'

'Maar Thom?' vroeg Danica.

'Doe wat ik zeg. Ik blijf met een sectie hier om het paleis te doorzoeken. We vinden hem wel op tijd. Laat iedereen landinwaarts trekken, naar de bergen toe.'

Kristallijn was in handen van Jari en Chyanna. Zodra ze beseften dat hun commandant dood was, smolt het moreel van de verdedigers als sneeuw voor de zon. Aanvankelijk vochten ze nog wel terug, maar zonder dat er enige structuur zat in hun acties. Het leger van de opstandelingen rukte zienderogen op en al gauw stonden ze binnen de stadsmuren. Zodra de slaven uit de mijnen bevrijd waren, was het pleit snel beslecht. Birger Velghen, de bestuurder van Kristallijn, viel op zijn knieën voor Jari en smeekte om zijn leven te sparen.

'De moord op de slaven was een idee van Vossung, de commandant,' jammerde hij. 'Ik was ertegen. Ik heb nog geprobeerd hem tegen te houden.'

Jari koesterde geen haat tegen deze man en hij had al helemaal niet de neiging om de dood van wie dan ook op hem te wreken. Er was al veel te veel bloed gevloeid. Hij voelde alleen maar minachting voor deze zielige figuur die nu voor hem door het zand kroop.

'Sluit hem samen met de soldaten op in de slavenbarakken,' zei hij. 'We beslissen later wel wat er met hen gebeurt.'

'Heer! Heer!' Een van de net bevrijde slaven kwam naar Jari toegelopen. 'Er is een probleem in de mijnen. U moet dit zien!' De blik van de man straalde een en al paniek uit. Samen met

Chyanna en enkele anderen volgde Jari de totaal ontreddderde man naar de mijnen.

Ze daalden af door donkere gangen. Enkele toortsen die ze hadden meegenomen zorgden ervoor dat ze iets konden zien. 'Normaal worden de mijnschachten verlicht door kristallen in de muur,' zei de bevrijde slaaf hijgend. 'Maar ze geven geen licht meer. Het gebeurde ineens.' De man keek Jari aan alsof hij verwachtte dat die hem een verklaring voor dat raadsel zou geven.

'Hier is het.'

Niemand hoefde te vragen waar de paniek van de man vandaan kwam. Het water aan hun voeten zei genoeg.

'Deze gang gaat veel dieper. Er bevinden zich nog twee niveaus onder,' legde de man uit. 'Het water komt gewoon uit de grond en het stijgt snel.'

Jari begreep meteen wat er aan de hand was. Zeneria was veel groter, maar in wezen niet anders dan zijn thuisland. Het kristalsysteem dat het land drijvende hield, werkte niet meer. Hij had het eerder op zijn eigen eiland meegemaakt. Paniek overviel hem.

'Zijn er ergens grote kristallen? Met metalen koepels?'

De man die hen naar beneden had gegidst, keek Jari verwonderd aan. Uit zijn blik maakte Jari op dat verder vragen geen zin had. Het systeem bevond zich niet hier.

Hij moest Thom waarschuwen. In een flits dacht hij aan Abu, maar het beeld van de oude opperbeschermer werd verstoord door de herinneringen aan al de keren dat de kracht van zijn voorhoofdchakra hem in de steek had gelaten. Jari vocht tegen de twijfels die hem verscheurden. Deze keer mocht hij niet falen. Hij smeekte de Moedersteen om kracht. Als hij er niet in slaagde Thom te bereiken, kon alles verloren zijn. Hij liet zich op zijn knieën zakken en raakte met beide handen zijn voorhoofd aan. Chyanna boog zich bezorgd naar hem toe.

'Wat is er, Jari? Gaat het niet?'

Jari maakte een afwerend gebaar. 'Laat me. Ik moet Thom vinden.'

Chyanna keek hem verbaasd aan, maar liet hem met rust. Ze deed teken naar de anderen dat ook te doen.

Het water kroop langzaam maar zeker dichterbij. Jari's knieën werden al nat.

'We moeten hier weg,' zei Chyanna. 'Straks loopt het hier helemaal onder. Gaan jullie maar. Ik blijf bij hem. '

Lovennia waadde door een van de gangen van het paleis. Het water kwam tot aan haar middel.

'Het heeft geen zin,' zei ze tegen Danica. 'Roep iedereen terug. We moeten het opgeven. We moeten onszelf in veiligheid brengen. We trekken de bergen in.'

Ze had moeite om het niet uit te schreeuwen van onmacht. Ze was Thom gaan waarderen, en niet alleen omdat hij gezonden was door de God van het Licht. Ze beschouwde het als een persoonlijke nederlaag dat hij onvindbaar bleef. Als hij hier ergens ingesloten zat, zou hij reddeloos verloren zijn. En zij kon zijn dood niet verhinderen.

Buiten heerste de paniek alom. Inwoners van de stad laadden hun hebben en houden op inderhaast geïmproviseerde vlotten. Van vijandschap was niets meer te merken. Iedereen probeerde zijn eigen leven te redden. Vriend en vijand zochten een veilig heenkomen in de bergen.

Lovennia keek naar de chaos om zich heen. Hadden ze hiervoor al die offers gebracht? Om overgeleverd te worden aan de zee die het land langzaam maar zeker verzwolg? Maar ook bij haar won de drang tot zelfbehoud het van de ontmoediging die haar dreigde te overmannen. Ze haastte zich naar de rand van de stad, hopend dat ze het water voor zouden kunnen blijven.

46.

Nog wat wankel op zijn benen liep Thom naar de oplichtende apparatuur achter de troon. Kirsha hinkte
met hem mee. Moedeloos keek ze naar de enorme hoeveel-
heid knoppen en lichtjes.

'We vinden nooit hoe dit werkt.'

'Je hebt gelijk,' moest Thom toegeven. Iemand zoeken die er
wel iets vanaf wist leek ook geen optie. De kans dat ze weer
zouden moeten vechten was groot en Thom voelde zich nog
altijd zwak. Bovendien was er geen tijd meer.

'Wat is dit? Thom, kijk!'

Thom haastte zich naar de plaats waar Kirsha stond. Ze was
achter de apparaten en panelen door gelopen en stond aan
de rand van wat op een grote krater leek. Thom hapte naar
adem. Beneden in de krater bevond zich een gigantisch
kristal. Twaalf kleinere kristallen stonden eromheen. Water
vulde de krater al tot de top van de kleinere stenen. Het
steeg razendsnel.

Ineens werd Thom overvallen door een zwakte. Hij ging
door de knieën en greep naar zijn hoofd. Kirsha schrok en
knielde naast hem neer.

'Thom! Wat is er?'

'Het gaat wel. Het is alweer over.'

Maar meteen overviel een nieuwe energiegolf hem, waardoor het hem weer duizelde.

Thom, hoor je me?

Thom schudde zijn hoofd.

Ik ben het, Jari.

Nu voelde hij het duidelijk. Zijn voorhoofd begon te gloeien.

De boel overstroomt hier, Thom. Het eiland zinkt.

'Ik weet het.'

De kristallen! Je moet de kristallen vinden.

'Ze zijn hier. Ik zie ze.'

'Met wie praat je, Thom? Je maakt me bang,' zei Kirsha.

Thom maakte een afwerend gebaar met zijn hand.

Maak contact met de Moedersteen, Thom.

'Hoe dan?'

Op Cahaya heb je het ook gedaan. Je bent verbonden met de kristallen. Ik geloof dat jullie energieën elkaar kunnen voeden. Probeer de Moedersteen aan te raken.

'Ik kan er niet bij, Jari.' Thom keek wanhopig naar het water dat het grote kristal nu al voor meer dan de helft omspoelde. 'Ze staat heel diep in een krater en het water stijgt pijlsnel.'

Probeer het, Thom. Je moet het proberen. We verdrinken hier!

Thom keek naar de smalle treden die in de cilindervormige wand van de krater waren uitgehouwen.

'Ik moet naar beneden, Kirsha.'

'Wat?'

'Ik moet de steen aanraken. Verbinding maken.'

Kirsha keek hem aan alsof hij zijn verstand verloren had, maar Thom liep al naar de eerste trede en stapte erop.

'Thom! Doe het niet!'

Thom negeerde Kirsha's smeekbede en daalde zo snel hij kon de trap af. Hij keek naar beneden en zag het water zienderogen stijgen. De top van het kristal ging net onder. Als hij via de trap bleef gaan, zou het water al snel zo hoog staan dat hij niet meer diep genoeg zou kunnen duiken om het kristal aan te raken. Zijn maag draaide terwijl hij zijn besluit nam. Hoe langer hij wachtte, hoe kleiner de kans dat hij zou slagen. Kirsha gilde toen hij zich kaarsrecht als een blok naar beneden liet vallen. Met een geweldige plons landde Thom met zijn voeten eerst in het water. Hij spartelde om weer boven te komen, hapte naar adem en dook onmiddellijk weer onder. Met zijn ogen open zwom hij met sterke slagen naar het kristal toe. Hij was echter te snel weer ondergedoken en voelde dat zijn longen het niet aankonden. Snel haastte hij zich weer naar boven en nam nu de tijd om een paar keer diep adem te halen voor hij zijn longen helemaal vulde. Aan de rand van de krater keek Kirsha bang toe.

Met doelgerichte slagen zwom Thom naar de Moedersteen. Hij hoopte maar dat Jari het bij het rechte eind had. Het moest! Als dit niet lukte, was alles verloren. De afstand was groter dan hij had gedacht. De druk op zijn longen nam toe. Thom weerstond aan de drang om de oppervlakte weer op te zoeken en zwom verder de diepte in. Hij had de Grootvorst overwonnen, hoewel hij zich niet kon herinneren hoe hij dat had gedaan. Hij had Zeneria bevrijd. Hij mocht zijn land nu niet in de steek laten.

De Moedersteen kwam dichterbij en hoewel ze volledig mat was, voelde Thom hoe ze hem naar zich toe trok. Hij was er nu vlakbij. Zijn longen barstten bijna. In een flits besefte Thom dat hij de tijd niet meer had om weer naar boven te gaan. Hij zou hier sterven. Zuurstofgebrek tastte de werking van zijn hersenen aan. Onder het oppervlak van de steen werden de omtrekken van een gezicht zichtbaar. Leila, zijn moeder! Ze glimlachte, vormde zijn naam met haar lippen, nodigde hem uit naar haar toe te komen. In een laatste, lome reflex stak Thom zijn hand uit naar zijn moeder. Hij voelde niet meer dat zijn hand het kristal aanraakte.

Aan de rand van de krater hield Kirsha het niet meer. Ze had automatisch haar adem ingehouden toen Thom onderdook, maar ze had de strijd allang moeten opgeven. Hijgend had ze haar ademhaling hervat. Niemand kon zo lang zonder lucht. Ze schreeuwde zijn naam, wilde de trap afdalen, maar besefte dat dat met haar gekneusde enkel niet zou lukken. In het heldere water zag ze zijn lichaam als een vage schim naar het kristal toe drijven. Hij bewoog niet, maar een onzichtbare kracht leek hem naar de steen toe te trekken. Zijn arm was uitgestrekt, alsof hij probeerde de steen aan te raken.

Een siddering ging door Thoms lichaam toen zijn hand het gladde oppervlak van de steen raakte. De siddering breidde zich uit naar de kern van het kristal en deed een vonk opgloeien. De vonk werd steeds groter, waardoor de steen begon te stralen. De energie werd overgenomen door de twaalf kristallen die eromheen stonden en een spel van heen en weer flitsende lichtstralen verlichtte het water. Thoms lichaam dreef roerloos tussen de lichtflitsen in. Toen leek het licht hem vast te grijpen. Het omwikkelde hem, stuwde hem omhoog naar de oppervlakte en tilde hem verder op tot hij ter hoogte van de rand van de krater bleef zweven, enkel gedragen door een bundel van licht.

Met haar handen voor haar mond geslagen stond Kirsha naar het schouwspel te kijken. Onder Thom begon het licht van links naar rechts naar de randen van de krater te schieten, steeds sneller, als de spoel van een weefgetouw. Er ontstond een web van licht dat Thoms roerloze lichaam ondersteunde. De lichtbundel die hem had gedragen verdween. Onder hem begon het waterpeil snel te dalen. De Moedersteen kwam als eerste boven het wateroppervlak uit, uitbundig stralend. De kristallen eromheen volgden snel.

Thom kwam bij. Hij krabbelde overeind en staarde naar het web om zich heen. Hij spreidde zijn armen en onmiddellijk schoot een krachtige lichtbundel van de Moedersteen naar boven om hem te omhullen als een mantel. Zijn gezicht klaarde op en zijn gelaatstrekken werden krachtig. Hij voelde hoe een ongekende energie door zijn lichaam stroomde, sterker dan ooit tevoren. Onder hem trok het water zich steeds verder terug. Het proces was omgedraaid. Zeneria was gered.

Kirsha staarde naar hem en deed vervolgens het enige dat ze in deze omstandigheden kon doen. Ze knielde en boog haar hoofd terwijl ze 'mijn koning' prevelde.

47.

Jari stapte uit de capsule, gevolgd door Chyanna. Na hem kwam Birger Velghen, in de gaten gehouden door vijf gewapende strijdsters die na hem de reiscapsule verlieten. Ze waren allen onder de indruk van de vreemde reis. In ruil voor het sparen van zijn leven was de leider van Kristallijn graag bereid geweest uitleg te verschaffen over de vreemde, metalen capsules die in een gang onder de mijnen ontdekt waren toen het water weer was weggetrokken.

Velghen had de werking uitgelegd en was als garantie mee-gekomen. Volgens hem bevonden ze zich nu in het hart van Zeneria. Hij bracht hen naar een metalen kooi en nodigde hen uit in te stappen. Daarna duwde hij een hendel naar boven. Terwijl de kooi omhoog schoot, hielden de strijdsters de adem in. Ze zuchtten opgelucht toen ze weer daglicht zagen.

Jari's verbazing was groot toen hij de indrukwekkende tempel zag. Hij keek behoedzaam om zich heen, maar zag niemand. De trap naar het gebouw lag bezaaid met zwaarden. Niet langer in staat zich te bedwingen rende hij naar de tempel. Hij duwde tegen de deur, maar die gaf niet mee. Zijn gezellen schoten hem te hulp, maar de deur was stevig vergrendeld. 'Thom!' riep Jari luid. 'Thom!'

Thom schrok op van het gebons op de deur en Kirsha kromp ineen. Was het nu nog niet voorbij? Toen hoorde Thom zijn naam roepen. En nog eens.

'Jari! Wacht! Ik kom!'

Zo snel zijn benen het toelieten rende Thom naar de grote deur. Hij schoof de dwarsbalk weg en de deur ging open. De twee vrienden vlogen elkaar in de armen.

'Je leeft!' zei Jari opgelucht.

Er verscheen een brede glimlach op Thoms gezicht. 'Jij ook,' lachte hij.

48.

Het puinruimen nam tien dagen in beslag. Overal had het water lelijk huisgehouden en hoewel het heel snel weer was weggetrokken bleven de sporen duidelijk zichtbaar. Het nieuws over Thom deed snel de ronde en de meeste Zenerianen waren heel blij dat ze weer een koning kregen. Nog voor al het puin was geruimd, werd al begonnen met de voorbereidingen voor de kroning.

Thom had zijn intrek genomen in het paleis, maar hij moest nog wennen aan zijn nieuwe status. Hij voelde zich nog steeds een gewone krabbenvanger en hoewel het lot hem had voorbestemd om koning te worden twijfelde hij vaak of hij daar wel geschikt voor was.

'Een koning heeft een vrouw nodig, Thom.'

Enea zat op een bank bij het raam. Ze hield Thom geregeld gezelschap en naarmate de dagen verstreken, werden de oude vriendschapsbanden weer sterker. Thom knikte.

'Ik weet het. Maar iets zegt me dat jij die vrouw niet zult zijn. Of vergis ik me?'

Enea glimlachte en legde haar hand op haar bolle buik. Ze keek naar buiten. Op het binnenplein hielp Jorund mee aan de afbraak van de onthoofder. Hij was nog niet helemaal hersteld, maar hij wilde zich nuttig maken, had hij gezegd.

Iedereen wilde dat gehate symbool van de macht van de Skyrth zo snel mogelijk zien verdwijnen. Leidinggevende Skyrth-leden zaten in de kerkers in afwachting van een proces. Dat zou er pas komen na de kroning. Gewone leden hadden de keuze gekregen: de Skyrth afzweren en trouw beloven aan de nieuwe koning of opgesloten worden. Bijna iedereen had de eerste mogelijkheid gekozen.

Enea richtte haar blik opnieuw op Thom.

'Ik hou echt veel van je, Thom,' zei ze, terwijl ze haar buik streelde. 'Maar het lot heeft de vader van dit kind op mijn pad gebracht. Jorund is de man met wie ik mijn leven wil delen.'

Thom knikte. Hij begreep het. Zodra hij Enea had bevrijd, had hij het lot van Zeneria boven het heroveren van haar hart gesteld. Hij besefte dat hij nu te laat kwam. Jorund leek een eerlijke man. Hopelijk zou hij Enea gelukkig maken.

Zij zou tenminste hier blijven. Jari had hem een dag eerder verteld dat hij terug wilde naar hun eiland. De bevrijde eilanders zouden met het kunsteiland terug naar huis gaan en als laatst overgebleven tempelbeschermer vond Jari het zijn plicht om de rol van Abu op hun eiland over te nemen. Het zou heel veel moeite kosten om het gewone leven daar opnieuw op te bouwen.

Alessi had beslist hem te volgen; ze wilde aan Jari's zijde leven, ook al betekende dat dat ze afscheid moest nemen van de wereld waarin ze was opgegroeid.

Ook Lovennia en de overige Cahayanen zouden na de kroning naar hun eiland terugkeren. Lovennia was haar belofte meer dan nagekomen en er was niets wat haar of haar volk aan Zeneria bond. De bevrijde slaven die op de eilanden hadden gewoond die tot zinken waren gebracht, zouden blijven. Zij hadden niets om naar terug te keren. De opdracht waar de nieuwe koning voor stond was groot: hij moest ervoor zorgen dat Koningsgezinden, ex-Skyrth-leden en voormalige slaven vreedzaam zouden samenleven en een hechte gemeenschap zouden vormen. De opvoedingshuizen op de Tempelberg waren leeggemaakt en de kinderen werden door adoptiegezinnen opgevangen.

Waar Thom nog het meest tegenop zag, was de naamsverandering die hij moest ondergaan zodra hij gekroond was. Hij moest zijn eigen naam afleggen en voortaan door het leven gaan als Zenerius XVI. Het voelde alsof hij daarmee het laatste stukje van zijn verleden van zich af zou werpen.

Thom ging naast Enea zitten en vroeg: 'Wil je iets voor me doen?'

Enea keek hem verbaasd aan. 'Natuurlijk.'

'Wil je me Thom blijven noemen?'

EPILOOG

Van op de rug van zijn paard keek koning Zenerius XVI uit over de schuimkoppen die onder hem tegen de rotsen beukten. Hij hield van deze plek. Onder hem bevond zich een grillige rotspartij die hem deed denken aan de grotten waarin hij vroeger op krabben joeg. Hier, op de rand van de klip, suisde de wind zo hard in zijn oren dat de wereld om hem heen leek te verdwijnen. Hier was Zenerius XVI graag, weg van alle verantwoordelijkheid, ook al was het maar voor even. Jari was, net als de Cahayanen, naar huis vertrokken. De koning kon niet ontkennen dat zijn vriend een grote leegte in zijn hart had achtergelaten door weg te gaan. Ooit wilde hij samen met Jari op zoek gaan naar de vier overgebleven eilanden. Ze dreven daar ergens op die eindeloze oceaan, wachtend om herenigd te worden met Zeneria. Kort na de kroning was Enea getrouwd met Jorund. Ze hadden een wolk van een dochter, een meisje met een lach die iedereen blij kon maken. Maar elke keer dat de koning het kind zag, voelde hij een steek van afgunst, hoe hard hij daar ook tegen vocht. Kirsha was nu een van zijn belangrijkste raadgevers, maar bovenal was ze een goede vriendin, ook al was er een groot leeftijdsverschil. Het was alsof een stuk van Leila in haar verder leefde en hem zo hielp een goede koning te zijn.

Zenerius XVI keek verlangend naar de hoog opspattende schuimkoppen. De vorm van de rotsen onder hem verried dat dit een goede broedplaats was voor krabben. Ongetwijfeld zaten hier mooie exemplaren. Hij steeg af en liet de teugels van zijn paard op de grond hangen. De koning legde zijn mantel over het zadel en hing het foedraal met de drie werpspiesen die hij had meegenomen op zijn rug. Hij liep naar de rand van de klip en bestudeerde de rotsen. De twintig meter hoge, steile rotswand die hem van het water scheidde, schrikte hem niet af. Voorzichtig liet hij zich over de rand zakken en zocht steun voor zijn voeten. De wind rukte aan zijn lichaam alsof hij hem de zee in wilde sleuren. Glimlachend ondanks zijn opperste concentratie klauterde de koning voetje voor voetje naar beneden. De zee bulderde onder hem en met elke voet die hij verzette en met elke greep van zijn gekromde vingers in een uitsparing in de ruwe rotswand werd de koning weer een beetje meer Thom. Een paar krabben maar. Daarna zou hij weer naar boven klimmen en terug naar zijn paleis rijden om zijn taak als Zenerius XVI op te nemen. Maar nu wilde hij Thom zijn. Heel even maar.

EILANDEN

— DE PROFETIE —

TIMO DESCAMPS
LUC DESCAMPS

TIMO DESCAMPS
LUC DESCAMPS

EILANDEN

DE PROFETIE

Het eeuwenoude eiland waar Thom en Jari opgroeien ligt volledig geïsoleerd in het midden van een eindeloze oceaan. Ze genieten in alle rust van het vangen van krabben, het uitvoeren van hun traditionele rituelen en hun prille vriendschap met de beeldschone Enea. Maar als er op een dag aan de horizon een ander eiland opdoemt, komt er een einde aan hun zorgeloze dagen. In allerijl wordt alles in gereedheid gebracht om de bezoekers op gepaste wijze te ontvangen. Want volgens de eeuwenoude profetie hoort hun eigen eiland met dit eiland te versmelten. En dan breekt het lang verwachte moment aan van de ontmoeting met de nieuwkomers… Maar zijn deze nieuwskomers wel wie ze lijken?

De Profetie is het eerste deel van een indrukwekkend fantasy-epos, waarin zowel de mens als de natuur alles dreigen te vernietigen. Alle hoop is gevestigd op de kracht en de moed van twee gezworen vrienden. Maar het gevaar dreigt van alle kanten…

TIMO DESCAMPS
LUC DESCAMPS
EILANDEN
DE GAVE
EILANDEN
DE GAVE
TIMO DESCAMPS
LUC DESCAMPS
Abimo

Thom en Jari zien hun leeggeplunderde eiland langzaam verdwijnen achter de horizon. Ze zijn begonnen aan een gevaarlijke reis om de eilandbewoners terug te vinden, dwars over de onvoorspelbare zee. Op een dag zien ze land aan de horizon opdoemen… Tegen hun verwachtingen in komen ze oog in oog te staan met een woest volk, geregeerd door krijgshaftige vrouwen. De kans om de andere eilanders ooit terug te vinden lijkt kleiner dan ooit. Intussen zet Enea voet aan wal op Zeneria. Het lot dat haar daar te wachten staat is misschien wel erger dan de dood…

Na De profetie wordt in dit tweede deel van de Eilanden-trilogie de spanning stelselmatig opgedreven. De wereld blijkt veel groter dan de eilanders ooit hadden kunnen vermoeden en langzaam vallen de puzzelstukjes op hun plaats. Dit is het vervolg van een adembenemend fantasy-epos dat al duizenden lezers aan hun stoel kluisterde.